Las familias católicas

celebran el domingo

2018–2019

Kerstin Keber Smith

LTP

RECURSOS
CATÓLICOS
EN ESPAÑOL

Nihil Obstat
Reverendo Sr. Daniel G. Welter, JD
Canciller
Arquidiócesis de Chicago
10 de octubre de 2017

Imprimatur
Reverendo Ronald A. Hicks
Vicario General
Arquidiócesis de Chicago
10 de octubre de 2017

Las reflexiones fueron escritas por Kerstin Keber Smith y la introducción fue escrita por Margaret Brennan.

LAS FAMILIAS CATÓLICAS CELEBRAN EL DOMINGO 2018–2019 © 2018 Arquidiócesis de Chicago: Liturgy Training Publications, 3949 South Racine Avenue, Chicago, IL 60609; 800-933-1800; fax 800-933-7094; e-mail: orders@ltp.org; visite nuestra página de Internet: www.LTP.org. Todos los derechos reservados.

Traducción: Ricardo López; edición: Christian Rocha; cuidado de la edición: Víctor R. Pérez; diseño: Anna Manhart; tipografía: Juan Alberto Castillo. Portada: Eleanor Davis.

Impreso en los Estados Unidos de América.

ISBN 978-1-61671-390-4

FCCD19

"Amarás al Señor, tu Dios, con todo el corazón, con toda el alma, con todas las fuerzas. Las palabras que hoy te digo quedarán en tu memoria, se las inculcarás a tus hijos y hablarás de ellas estando en casa y yendo de camino, acostado y levantado".

(Deuteronomio 6:5-7)

Índice

Cómo usar Las familias católicas celebran el domingo 1

Tiempo Ordinario durante el otoño 2

Adviento 28

Navidad 38

Tiempo Ordinario durante el invierno 48

Cuaresma 62

Tiempo Pascual 74

Tiempo Ordinario durante el verano 90

Oraciones cotidianas 117

Cómo usar

Las familias católicas celebran el domingo

Esta breve guía semanal sigue el curso del evangelio de los domingos y las solemnidades del año litúrgico. Este libro de lectura breve ayuda a los padres a conversar con sus hijos sobre la misa y a explorar el tesoro de la fe vivida. Con frecuencia, ir a misa es un evento que comienza y termina en la puerta de la iglesia. La breve reflexión sobre el evangelio busca que los padres tomen la iniciativa de conversar como familia sobre la Sagrada Escritura, tanto al ir a misa como al regresar a casa. Las sugerencias y las preguntas para iniciar la conversación, lo mismo que los consejos para vivir la palabra, incentivan el diálogo y el compromiso de toda la familia.

Confiamos en que muchas de las reflexiones y sugerencias aquí reunidas ayuden la vida de fe de toda su familia. Seguramente que en otras ocasiones usted tendrá otras necesidades, intereses o ideas más significativas para compartir; comente todo ello con sus hijos. Incluso los más pequeños son perfectamente capaces de irse introduciendo en la liturgia a través de los sentidos. Aprenda y entone los cantos, explíqueles los colores de la estación litúrgica y siéntese con ellos desde donde puedan observar los gestos de la misa; todo esto los irá formando en su fe. Recuerde que en el rito del bautismo se dice que los padres del infante son sus primeros y principales maestros.

9 de septiembre de 2018

Vigesimotercer Domingo del Tiempo Ordinario

Escuchar la palabra

Marcos 7:31–37

En el nombre del Padre, y del Hijo, y del Espíritu Santo.

En aquel tiempo, salió Jesús de la región de Tiro y vino de nuevo, por Sidón, al mar de Galilea, atravesando la región de Decápolis. Le llevaron entonces a un hombre sordo y tartamudo, y le suplicaban que le impusiera las manos. Él lo apartó a un lado de la gente, le metió los dedos en los oídos y le tocó la lengua con saliva. Después, mirando al cielo, suspiró y le dijo: "¡Effetá!" (que quiere decir "¡Ábrete!"). Al momento se le abrieron los oídos, se le soltó la traba de la lengua y empezó a hablar sin dificultad.

Él les mandó que no lo dijeran a nadie; pero cuanto más se lo mandaba, ellos con más insistencia lo proclamaban; y todos estaban asombrados y decían: "¡Qué bien lo hace todo! Hace oír a los sordos y hablar a los mudos".

Reflexionar sobre la palabra

"¡Ser abierto!". Cuando somos abiertos, entramos en una relación, a un texto o a una situación sin ideas ni actitudes preconcebidas. Entonces, permitimos que "nos toque" la persona, el lenguaje o la situación. Ser abierto es hacer espacio a los demás, a nuevos pensamientos y experiencias. Solo entonces, permitimos que Dios trabaje en y por nosotros. Al comenzar un nuevo año escolar, los papás podrán ayudar a sus hijos a abrirse a lo nuevo que les espera. Al ser abiertos se enriquecerán con nuevas personas, perspectivas e ideas. Aunque los adultos piensen que ya conocen ese camino, necesitan abrirse a las vías nuevas que Dios hace hacia ellos. Lo que se pensaba que era permanente (como la sordera del hombre) puede cambiar.

......CAMINO A MISA

¿En qué ocasión se ha cerrado usted y con necesidad de ser más abierto?

CAMINO A CASA ......

¿Cómo le hace sentir pensar que puede ser más abierto? ¿Cuáles son sus emociones?

Vivir la palabra

En familia, paseen por su calle. Invite a cada miembro de la familia a ver el vecindario con nuevos ojos, como si nunca hubieran estado en esa calle antes. ¿Notan algo diferente? Al llegar a casa, anime a cada uno a hablar sobre las cosas que miró con nuevos ojos. ¿Cómo se sintieron al estar abiertos a la posibilidad de ver cosas nuevas en el vecindario? ¿Habría alguna diferencia si estuviéramos siempre abiertos a Dios?

16 de septiembre de 2018

Vigesimocuarto Domingo del Tiempo Ordinario

Escuchar la palabra

Marcos 8:27–35

En el nombre del Padre, y del Hijo, y del Espíritu Santo.

En aquel tiempo, Jesús y sus discípulos se dirigieron a los poblados de Cesarea de Filipo. Por el camino les hizo esta pregunta: "¿Quién dice la gente que soy yo?" Ellos le contestaron: "Algunos dicen que eres Juan el Bautista; otros, que Elías; y otros, que alguno de los profetas".

Entonces él les preguntó: "Y ustedes, ¿quién dicen que soy yo?" Pedro le respondió: "Tú eres el Mesías". Y él les ordenó que no se lo dijeran a nadie.

Luego se puso a explicarles que era necesario que el Hijo del hombre padeciera mucho, que fuera rechazado por los ancianos, los sumos sacerdotes y los escribas, que fuera entregado a la muerte y resucitara al tercer día.

Todo esto lo dijo con entera claridad. Entonces Pedro se lo llevó aparte y trataba de disuadirlo. Jesús se volvió, y mirando a sus discípulos, reprendió a Pedro con estas palabras: "¡Apártate de mí, Satanás! Porque tú no juzgas según Dios, sino según los hombres".

Después llamó a la multitud y a sus discípulos, y les dijo: "El que quiera venir conmigo, que renuncie a sí mismo, que cargue con su cruz y que me siga. Pues el que quiera salvar su vida, la perderá; pero el que pierda su vida por mí y por el Evangelio, la salvará".

Reflexionar sobre la palabra

Cuando nos perdemos en el profundo amor transformador de Dios, ganamos todo un mundo de comprensión, compasión y sabiduría. Solo abandonando nuestros apegos podemos rendirnos a Dios. Pero si nos aferramos al pasado no dejamos espacio para que algo mejor entre en nuestra vida, ni Dios siquiera, porque nos limita nuestra humanidad. Perder nuestra vida por causa de Jesús y el Evangelio es la única manera de salvarla para la eternidad con Dios.

......CAMINO A MISA

¿Hasta dónde dejará usted entrar a Dios en su vida?

CAMINO A CASA ......

¿Cómo le gusta que la gente le llame? ¿Cuál sería su sobrenombre favorito?

Vivir la palabra

Haga con su familia una lista de los nombres de Jesús en este pasaje de la Escritura, y complétela con otros nombres que le dicen a Jesús en la Biblia. Luego, pida que la familia componga algunos nombres para Jesús, nombres con significado para ellos. Invite a cada persona a escoger su nombre favorito de la lista, y a decir por qué le atrae. Trate de incorporar algunos de estos nombres en su oración diaria (por ejemplo, Jesús, maestro amoroso, ven con nosotros al comenzar el día de clases).

Vigesimoquinto Domingo del Tiempo Ordinario

Escuchar la palabra

Marcos 9:30–37

En el nombre del Padre, y del Hijo, y del Espíritu Santo.

En aquel tiempo, Jesús y sus discípulos atravesaban Galilea, pero él no quería que nadie lo supiera, porque iba enseñando a sus discípulos. Les decía: "El Hijo del hombre va a ser entregado en manos de los hombres; le darán muerte, y tres días después de muerto, resucitará". Pero ellos no entendían aquellas palabras y tenían miedo de pedir explicaciones.

Llegaron a Cafarnaúm, y una vez en casa, les preguntó: "¿De qué discutían por el camino?" Pero ellos se quedaron callados, porque en el camino habían discutido sobre quién de ellos era el más importante. Entonces Jesús se sentó, llamó a los Doce y les dijo: "Si alguno quiere ser el primero, que sea el último de todos y el servidor de todos".

Después, tomando a un niño, lo puso en medio de ellos, lo abrazó y les dijo: "El que reciba en mi nombre a uno de estos niños, a mí me recibe. Y el que me reciba a mí, no me recibe a mí, sino a aquel que me ha enviado".

Reflexionar sobre la palabra

Venimos de Dios y a él volveremos. Nuestra vida es expresión del amor de Dios. En ese amor, no hay más ni menos, ni primero ni último; simplemente todo es amor. Una forma de expresar nuestro amor a Dios es amando a la persona que vive junto a nosotros. Dios nos invita a apreciar la amplia variedad de expresiones de su amor en el mundo, incluso las que nos parecen más difíciles de amar.

. . . . . . CAMINO A MISA

¿Cómo puede demostrar cariño a otros niños?

CAMINO A CASA . . . . . .

¿Por qué alguien que quiere ser primero desearía ser el último? ¿Por qué esa persona serviría a los demás?

Vivir la palabra

Busque unos globos para jugar con sus hijos; inflen los globos y desínflenlos e invite a cada uno a hacerlo. Luego tome un globo desinflado y, con un marcador permanente, dibuje sobre el globo un corazón y coloréelo. Dígales que somos como el globo del corazón, y que a veces no parece gran cosa. Pero cuando dejamos entrar en nosotros a Dios o su *ruah* —aliento, viento o espíritu, como se le llama en el Antiguo Testamento (infle el globo)— nos volvemos grandes, muy grandes.

Vigesimosexto Domingo del Tiempo Ordinario

Escuchar la palabra

Marcos 9:38–43, 45, 47–48

En el nombre del Padre, y del Hijo, y del Espíritu Santo.

En aquel tiempo, Juan le dijo a Jesús: "Hemos visto a uno que expulsaba a los demonios en tu nombre, y como no es de los nuestros, se lo prohibimos". Pero Jesús le respondió: "No se lo prohíban, porque no hay ninguno que haga milagros en mi nombre, que luego sea capaz de hablar mal de mí. Todo aquel que no está contra nosotros, está a nuestro favor.

Todo aquél que les dé a beber un vaso de agua por el hecho de que son de Cristo, les aseguro que no se quedará sin recompensa.

Al que sea ocasión de pecado para esta gente sencilla que cree en mí, más le valdría que le pusieran al cuello una de esas enormes piedras de molino y lo arrojaran al mar.

Si tu mano te es ocasión de pecado, córtatela; pues más te vale entrar manco en la vida eterna, que ir con tus dos manos al lugar de castigo, al fuego que no se apaga. Y si tu pie te es ocasión de pecado, córtatelo; pues más te vale entrar cojo en la vida eterna, que con tus dos pies ser arrojado al lugar de castigo. Y si tu ojo te es ocasión de pecado, sácatelo; pues más te vale entrar tuerto en el Reino de Dios, que ser arrojado con tus dos ojos al lugar de castigo, *donde el gusano no muere y el fuego no se apaga*".

Reflexionar sobre la palabra

¿Qué es lo que cuenta a los ojos del Señor? Puede ser que aquello que consideramos importante no sea tan valioso como nuestra relación con Dios. Es inútil desgastarnos en mantener la apariencia de una vida plena y feliz, pero sin vivirla. Reflexione sobre a qué dedica más energía su familia. No importa si han alcanzado ya la cumbre, lo que cuenta es amar a Dios. Debemos concentrarnos en cómo extender ese amor mediante la misericordia y el perdón.

......CAMINO A MISA

¿Cómo sería no tener un ojo, o una mano, o un pie? ¿Cómo le da usted importancia a sus miembros corporales?

CAMINO A CASA ......

¿Cuándo le sorprendió la amabilidad de alguien? ¿Por qué?

Vivir la palabra

Invite a los miembros de la familia a reflexionar sobre sus propias fortalezas y debilidades. ¿Cuándo se sienten tentados a hacer el mal? ¿Qué les favorece para hacer lo correcto? Por ejemplo, ¿son amables con alguien excluido por otros? ¿Cómo pueden fortalecer aspectos de su vida que son débiles?

7 de octubre de 2018

VIGESIMOSÉPTIMO DOMINGO DEL TIEMPO ORDINARIO

Escuchar la palabra

Marcos 10:2–9, 13–16

En el nombre del Padre, y del Hijo, y del Espíritu Santo.

En aquel tiempo, se acercaron a Jesús unos fariseos y le preguntaron, para ponerlo a prueba: "¿Le es lícito a un hombre divorciarse de su esposa?"

Él les respondió: "¿Qué les prescribió Moisés?" Ellos contestaron: "Moisés nos permitió el divorcio mediante la entrega de un acta de divorcio a la esposa". Jesús les dijo: "Moisés prescribió esto, debido a la dureza del corazón de ustedes. Pero desde el principio, al crearlos, Dios *los hizo hombre y mujer. Por eso dejará el hombre a su padre y a su madre y se unirá a su esposa y serán los dos una sola cosa.* De modo que ya no son dos, sino una sola cosa. Por eso, lo que Dios unió, que no lo separe el hombre".

Después de esto, la gente le llevó a Jesús unos niños para que los tocara, pero los discípulos trataban de impedirlo.

Al ver aquello, Jesús se disgustó y les dijo: "Dejen que los niños se acerquen a mí y no se lo impidan, porque el Reino de Dios es de los que son como ellos. Les aseguro que el que no reciba el Reino de Dios como un niño, no entrará en él".

Después tomó en brazos a los niños y los bendijo imponiéndoles las manos.

Reflexionar sobre la palabra

El comienzo de una familia es un momento santo. Rodeados por el apoyo de una comunidad, dos personas unen sus vidas. La santidad y la gracia de ese momento del compromiso nunca pueden disolverse. Jesús, sin embargo, advierte que los miembros de la familia deben cuidar de no endurecer el corazón de unos con otros. Cada día, la familia renueva su compromiso de santidad.

......CAMINO A MISA

¿Qué sabe usted del matrimonio de sus padres? ¿Qué le gustaría saber de ese día?

CAMINO A CASA ......

Escoja algo y obsérvelo con ojos de alguien más joven que usted. ¿Qué percibe?

Vivir la palabra

Cuente a los niños la historia de san Francisco de Asís, cuya memoria se celebró el 4 de octubre. Dígales que san Francisco fue conocido por predicar con su vida. Incluso predicaba a las aves y a toda la creación con amabilidad de palabra y obra. Pase tiempo con sus hijos para predicar con su amabilidad a lo pequeño u olvidado. Quizá los niños quieran colgar un comedero para pájaros, o ayudar a un niño menor, o enviar una nota o dibujo a algún abuelo. Hágales saber a los niños que estas acciones dan vida al evangelio.

14 de octubre de 2018

Vigesimoctavo Domingo del Tiempo Ordinario

Escuchar la palabra

Marcos 10:17–22

En el nombre del Padre, y del Hijo, y del Espíritu Santo.

En aquel tiempo, cuando salía Jesús al camino, se le acercó corriendo un hombre, se arrodilló ante él y le preguntó: "Maestro bueno, ¿qué debo hacer para alcanzar la vida eterna?" Jesús le contestó: "¿Por qué me llamas bueno? Nadie es bueno sino sólo Dios. Ya sabes los mandamientos: *No matarás, no cometerás adulterio, no robarás, no levantarás falso testimonio,* no cometerás fraudes, *honrarás a tu padre y a tu madre*".

Entonces él le contestó: "Maestro, todo eso lo he cumplido desde muy joven". Jesús lo miró con amor y le dijo: "Sólo una cosa te falta: Ve y vende lo que tienes, da el dinero a los pobres y así tendrás un tesoro en los cielos. Después, ven y sígueme". Pero al oír estas palabras, el hombre se entristeció y se fue apesadumbrado, porque tenía muchos bienes.

Reflexionar sobre la palabra

Puede resultar difícil aplicar este evangelio a nuestra vida, sobre todo cuando se tiene muchas posesiones y algunas son necesarias. ¿Cómo es que Dios nos llama a dejar todo? Piense si hay algo que le impide relacionarse adecuadamente con Dios. ¿Depende usted más de algo que de Dios? Eso es lo que tiene que dejar.

......CAMINO A MISA

¿Qué ha antepuesto usted al amor de Jesús? ¿Qué lo retiene para seguir plenamente a Jesús?

CAMINO A CASA ......

¿Dónde puede hacer más espacio a Dios en su vida? ¿Cómo le hace sentir esto?

Vivir la palabra

Anime a su familia a pensar en lo que podría dejar durante una semana para dar juntos un lugar a Dios. Quizás en vez de ver la televisión por la noche, podrían escribir tarjetas a algunos feligreses enfermos. O tal vez, la familia podría rezar el rosario en el coche en lugar de escuchar la radio. O quizá hacer un postre para el asilo de los desamparados. Podrían dedicar tiempo a repasar la casa y aligerarla de objetos. Observe cómo este ejercicio cambia el interés de la familia.

Vigesimonoveno Domingo del Tiempo Ordinario

Escuchar la palabra

Marcos 10:35-45

En el nombre del Padre, y del Hijo, y del Espíritu Santo.

En aquel tiempo, se acercaron a Jesús Santiago y Juan, los hijos de Zebedeo, y le dijeron: "Maestro, queremos que nos concedas lo que vamos a pedirte". Él les dijo: "¿Qué es lo que desean?" Le respondieron: "Concede que nos sentemos uno a tu derecho y otro a tu izquierda, cuando estés en tu gloria". Jesús les replicó: "No saben lo que piden. ¿Podrán pasar la prueba que yo voy a pasar y recibir el bautismo con que seré bautizado?" Le respondieron: "Sí podemos". Y Jesús les dijo: "Ciertamente pasarán la prueba que yo voy a pasar y recibirán el bautismo con que yo seré bautizado; pero eso de sentarse a mi derecha o a mi izquierda no me toca a mí concederlo; eso es para quienes está reservado".

Cuando los otros diez apóstoles oyeron esto, se indignaron contra Santiago y Juan. Jesús reunió entonces a los Doce y les dijo: "Ya saben que los jefes de las naciones las gobiernan como si fueran sus dueños y los poderosos las oprimen. Pero no debe ser así entre ustedes. Al contrario: el que quiera ser grande entre ustedes, que sea su servidor, y el que quiera ser el primero, que sea el esclavo de todos, así como el Hijo del hombre, que no ha venido a que lo sirvan, sino a servir y a dar su vida por la redención de todos".

Reflexionar sobre la palabra

En el evangelio, Jesús introduce a sus seguidores en el liderazgo de servicio. El liderazgo de los discípulos de Jesús consiste en servir a los demás. Los que andan el camino del Señor no son alabados por su grandeza. En cambio, se habrán de humillar en el servicio de los otros. Al hacerlo, beberán de la copa de la que Jesús bebe.

......CAMINO A MISA

¿A quién considera usted un líder? ¿Qué muestra su liderazgo?

CAMINO A CASA ......

¿Qué cosas no sabían ni Santiago ni Juan cuando decían que querían ser como Jesús?

Vivir la palabra

Reúna a la familia y pídale pensar en los servicios que pueden prestarse unos a otros esta semana. Cada uno puede elegir un día para ser líder de servicio. Este líder pasaría el día realizando tareas sencillas para el resto de la familia. Estas tareas podrían ser abrir la puerta, lavar los platos o acomodarlos. Al final de la semana, reúnanse a reflexionar en los servicios que cada quien realizó y cómo se sentía al servir y al ser servido. ¿Se sintieron todos bien cuando servían a los demás?

Trigésimo Domingo del Tiempo Ordinario

Escuchar la palabra

Marcos 10:46–52

En el nombre del Padre, y del Hijo, y del Espíritu Santo.

En aquel tiempo, al salir Jesús de Jericó en compañía de sus discípulos y de mucha gente, un ciego, llamado Bartimeo, se hallaba sentado al borde del camino pidiendo limosna. Al oír que el que pasaba era Jesús Nazareno, comenzó a gritar: "¡Jesús, hijo de David, ten compasión de mí!" Muchos lo reprendían para que se callara, pero él seguía gritando todavía más fuerte: "¡Hijo de David, ten compasión de mí!".

Jesús se detuvo entonces y dijo: "Llámenlo". Y llamaron al ciego, diciéndole: "¡Ánimo! Levántate, porque él te llama". El ciego tiró su manto; de un salto se puso en pie y se acercó a Jesús. Entonces le dijo Jesús: "¿Qué quieres que haga por ti?" El ciego le contestó: "Maestro, que pueda ver". Jesús le dijo: "Vete; tu fe te ha salvado". Al momento recobró la vista y comenzó a seguirlo por el camino.

Reflexionar sobre la palabra

Lejos de pedir honores por sus milagros, Jesús señala la importancia de la fe en las curaciones. Nunca estaremos sanos, íntegros, ni completos si no creemos que podemos estarlo. Nuestro origen divino está más allá de nuestra imaginación, pero con los ojos de la fe podemos descubrir los límites de nuestra vida. La curación es simplemente volver a casa para ser la persona que Dios nos hizo ser desde el principio.

......CAMINO A MISA

¿Qué le gustaría que Dios sanara en su vida? ¿Por qué cree que sería posible?

CAMINO A CASA ......

¿Por cuál de sus cinco sentidos está usted más agradecido? ¿Por qué?

Vivir la palabra

Prepare un juego de mesa con la familia, de preferencia uno en el que intervengan muchos de los sentidos. Invite a los miembros de su familia a turnarse para jugar sin usar la vista, ni el tacto, ni la voz ni lo que sea apropiado para ese juego. Cada persona sólo renuncia al sentido de su turno, y los demás miembros de la familia pueden dar la ayuda necesaria. Platiquen cómo sería vivir sin uno de los sentidos y lo que se sentiría al recuperarlo repentinamente, como sucedió en el evangelio.

Todos los Santos

Escuchar la palabra

Mateo 5:1-12a

En el nombre del Padre, y del Hijo, y del Espíritu Santo.

En aquel tiempo, cuando Jesús vio a la muchedumbre, subió al monte y se sentó. Entonces se le acercaron sus discípulos. Enseguida comenzó a enseñarles, hablándoles así: / "Dichosos los pobres de espíritu, / porque de ellos es el Reino de los cielos. / Dichosos los que lloran, / porque serán consolados. / Dichosos los sufridos, / porque heredarán la tierra. / Dichosos los que tienen hambre y sed de justicia, / porque serán saciados. / Dichosos los misericordiosos, / porque obtendrán misericordia. / Dichosos los limpios de corazón, / porque verán a Dios. / Dichosos los que trabajan por la paz, / porque se les llamará hijos de Dios. / Dichosos los perseguidos por causa de la justicia, / porque de ellos es el Reino de los cielos. / Dichosos serán ustedes, cuando los injurien, los persigan y digan cosas falsas de ustedes por causa mía. Alégrense y salten de contento, porque su premio será grande en los cielos".

Reflexionar sobre la palabra

Las bienaventuranzas parecen contradecir nuestra experiencia del mundo. Después de todo, ¿cuándo vemos a los humildes heredar algo? A menudo, los pacificadores no son bien vistos. Pero las bienaventuranzas miran al Reino de Dios y muestran aquello que Dios considera más importante. Los pobres de espíritu confían en Dios; así pues, el Reino de los Cielos será suyo. Quizá sea difícil moldear nuestras vidas conforme a las de los pobres, mansos y perseguidos, porque anhelamos una recompensa terrenal. Con las bienaventuranzas, Jesús pone ante nosotros el camino de Dios, que es el camino al cielo.

•••••• CAMINO A MISA

¿Qué recompensa puede considerarse buena al principio, pero inútil a largo plazo?

CAMINO A CASA ••••••

¿Cuáles son algunas de las bendiciones de su vida?

Vivir la palabra

Invite a que cada miembro de la familia a escoger su bienaventuranza preferida, una actitud acorde a ella y tres ejemplos de cómo vivirla. Por ejemplo, la actitud de los mansos es de servicio. Esa actitud puede ser asumida mediante actos de bondad y compasión. Los miembros de la familia, entonces, eligen uno de los actos como su misión de bienaventuranza durante la semana y asumen la actitud respectiva durante un día. Cuando los completan, todos comentan cómo se sintieron "bendecidos" con su nueva actitud de bienaventuranza.

4 de noviembre de 2018

Trigésimo Primer Domingo del Tiempo Ordinario

Escuchar la palabra

Marcos 12:28–34

En el nombre del Padre, y del Hijo, y del Espíritu Santo.

En aquel tiempo, uno de los escribas se acercó a Jesús y le preguntó: "¿Cuál es el primero de todos los mandamientos?" Jesús le respondió: "El primero es: *Escucha, Israel: El Señor, nuestro Dios, es el único Señor; amarás al Señor, tu Dios, con todo tu corazón, con toda tu alma, con toda tu mente y con todas tus fuerzas.* El segundo es éste: *Amarás a tu prójimo como a ti mismo.* No hay ningún mandamiento mayor que éstos".

El escriba replicó: "Muy bien, Maestro. Tienes razón cuando dices que el Señor es único y que no hay otro fuera de él, y que amarlo con todo tu corazón, con toda el alma, con todas las fuerzas, y amar al prójimo como a uno mismo, vale más que todos los holocaustos y sacrificios".

Jesús, viendo que había hablado muy sensatamente, le dijo: "No estás lejos del Reino de Dios". Y ya nadie se atrevió a hacerle más preguntas.

Reflexionar sobre la palabra

A la pregunta del escriba, Jesús responde mostrando que Dios exige la totalidad de la persona. Debemos amar con todo el corazón, la mente, el alma y las fuerzas; amar con todo. En otras palabras, no podemos dejar ni un átomo de nuestra persona sin amar a Dios. Si permitimos distracciones a nuestra fe, nuestro corazón se llenará pronto de otros amores, que no del de Dios. El tiempo, la riqueza, el poder y el prestigio son capataces exigentes y piden siempre más. Cuando amamos a Dios con todo el corazón y, por ello, a nosotros y a nuestro prójimo, notamos que Dios nos llena de amor.

······CAMINO A MISA

¿A cuál de los falsos señores le ha permitido gobernar su corazón? ¿Qué sucedió?

CAMINO A CASA ······

¿Qué se siente amar a Dios con todo el corazón? ¿Qué le impide amarlo así?

Vivir la palabra

Un corazón dividido nunca está completo. Invite a sus familiares a recortar un gran corazón y a escribir en este todo lo que les gusta como nombres de personas, actividades y cosas. Recorte cada palabra y revuelva los pedazos. Armen el corazón entre todos. Haga notar las suturas y que el corazón no tiene su forma original. Recorte otro corazón grande para toda la familia y en ese escriba "Dios". Coloque en ese corazón los trozos recortados. Cuando Dios contiene todo, podemos encontrar de nuevo la plenitud, gracias al amor.

Trigésimo Segundo Domingo del Tiempo Ordinario

Escuchar la palabra

Marcos 12:38–44

En el nombre del Padre, y del Hijo, y del Espíritu Santo.

En aquel tiempo, enseñaba Jesús a la multitud y le decía: "¡Cuidado con los escribas! Les encanta pasearse con amplios ropajes y recibir reverencias en las calles; buscan los asientos de honor en las sinagogas y los primeros puestos en los banquetes; se echan sobre los bienes de las viudas haciendo ostentación de largos rezos. Éstos recibirán un castigo muy riguroso".

En una ocasión Jesús estaba sentado frente a las alcancías del templo, mirando cómo la gente echaba allí sus monedas. Muchos ricos daban en abundancia. En esto, se acercó una viuda pobre y echó dos moneditas de muy poco valor. Llamando entonces a sus discípulos, Jesús les dijo: "Yo les aseguro que esa pobre viuda ha echado en la alcancía más que todos. Porque los demás han echado de lo que les sobraba; pero ésta, en su pobreza, ha echado todo lo que tenía para vivir".

Reflexionar sobre la palabra

¿Cómo se imagina usted la santidad? El evangelio describe a una mujer santa como alguien que contribuyó con todo lo que tenía. Esto nos lleva a reflexionar sobre lo que le retribuimos a Dios. ¿Está su vida enfocada en lo que Dios quiere? ¿Reserva tiempo y espacio para Dios? Dios nos ha regalado la vida. Solo podemos devolverle una vida concentrada en Dios.

......CAMINO A MISA

¿Cómo describiría usted la santidad?

CAMINO A CASA ......

¿Cómo apoya a su iglesia? ¿Qué tipo de tiempo, talentos y valores comparte?

Vivir la palabra

En familia, del boletín parroquial, escojan una actividad en la que quieran participar esta semana. Esto quizá los obligue a alterar su rutina. Así como la viuda que dio desde la necesidad, usted ayude a su familia a determinar cómo volverse más intencional para construir su comunidad eclesial. Incluso, sus familiares pueden escoger una actividad o algo que les pueda causar alguna inconveniencia. Esto mostraría un compromiso con la comunidad parroquial.

Trigésimo Tercer Domingo del Tiempo Ordinario

Escuchar la palabra

Marcos 13:24–32

En el nombre del Padre, y del Hijo, y del Espíritu Santo.

En aquel tiempo, Jesús dijo a sus discípulos: "Cuando lleguen aquellos días, después de la gran tribulación, la luz del sol se apagará, no brillará la luna, caerán del cielo las estrellas y el universo entero se conmoverá. Entonces verán venir al Hijo del hombre sobre las nubes con gran poder y majestad. Y él enviará a sus ángeles a congregar 06a sus elegidos desde los cuatro puntos cardinales y desde lo más profundo de la tierra a lo más alto del cielo.

Entiendan esto con el ejemplo de la higuera. Cuando las ramas se ponen tiernas y brotan las hojas, ustedes saben que el verano está cerca. Así también, cuando vean ustedes que suceden estas cosas, sepan que el fin ya está cerca, ya está a la puerta. En verdad que no pasará esta generación sin que todo esto se cumpla. Podrán dejar de existir el cielo y la tierra, pero mis palabras no dejarán de cumplirse. Nadie conoce el día ni la hora. Ni los ángeles del cielo ni el Hijo; solamente el Padre".

Reflexionar sobre la palabra

Las imágenes de la lectura de hoy son dramáticas. La vida diaria también lo es si vemos los sucesos con los ojos de Dios. En muchas maneras, el retorno de Jesús no será diferente a cualquier otro día. Cuando prefiramos ver los milagros en torno nuestro, desde los brotes de la higuera y la salida del sol hasta el mismo aliento que nos falta al contemplarlos, entonces miraremos las señales y maravillas que nos rodean. ¡Podemos vivir como si Jesús estuviera entre nosotros!

......CAMINO A MISA

¿Cómo cree usted que será el retorno de Jesús? ¿Cómo sabrá que él ya viene?

CAMINO A CASA ......

¿Qué considera usted un milagro? ¿Por qué?

Vivir la palabra

Invite a su familia a salir a cazar maravillas. Hagan un listado de los pequeños signos y maravillas que los rodean cada día, y luego salgan en equipos a presenciarlos. Deje varios puntos en blanco en la búsqueda para las pequeñas cosas que les puedan sorprender a lo largo del camino cuando estén buscando alguna maravilla. Reúnanse para compartir sus listas y discutan lo que fue mirar el mundo con ojos de admiración y asombro. ¿Les parecen diferentes las cosas cotidianas? ¿Notaron algo que normalmente pasaría inadvertido?

Nuestro Señor Jesucristo, Rey del Universo

Escuchar la palabra

Juan 18:33b–37

En el nombre del Padre, y del Hijo, y del Espíritu Santo.

En aquel tiempo, preguntó Pilato a Jesús: "¿Eres tú el rey de los judíos?" Jesús le contestó: "¿Eso lo preguntas por tu cuenta o te lo han dicho otros?" Pilato le respondió: "¿Acaso soy yo judío? Tu pueblo y los sumos sacerdotes te han entregado a mí. ¿Qué es lo que has hecho?" Jesús le contestó: "Mi Reino no es de este mundo. Si mi Reino fuera de este mundo, mis servidores habrían luchado para que no cayera yo en manos de los judíos. Pero mi Reino no es de aquí".

Pilato le dijo: "¿Conque tú eres rey?" Jesús le contestó: "Tú lo has dicho. Soy rey. Yo nací y vine al mundo para ser testigo de la verdad. Todo el que es de la verdad, escucha mi voz".

Reflexionar sobre la palabra

El título de "Rey del Universo" rebasa tanto nuestras pequeñas vidas que apenas podemos comprender su inmensidad. Jesús no vino solo por los pecados de la humanidad, sino también para redimir a toda la creación y conducir al cosmos entero al abrazo de Dios. Los milagros bíblicos son apenas el comienzo del temor reverencial de un Dios que quiere estar entre nosotros. Es un Dios que rige la luna y las estrellas tan tiernamente como a las abejas y las flores. La solemnidad de hoy nos puede ayudar a comprender la importancia de extender el amor más allá de la inmediatez de nuestras vidas breves y de cuidar la creación como Dios desea.

......CAMINO A MISA

¿Qué cosas sabe usted sobre el universo? ¿Cómo cuida usted la creación de Dios?

CAMINO A CASA ......

¿Qué hace un buen rey? ¿Qué dice y hace?

Vivir la palabra

Con la familia, dispongan una cena real y vistan, hablen y coman como una familia de la realeza. En esta ocasión especial, hablen de cómo a través del bautismo somos profetas, sacerdotes y monarcas. Por ser monarcas nuestra vocación es administrar la tierra y cuidar de ella. Procuren desperdiciar comida lo menos posible. Para ahorrar agua, usen servilletas de tela y artículos que requieren menos empaque o ninguno; hablen sobre el impacto cósmico que pueden tener los actos tan simples como esos.

Primer Domingo de Adviento

Escuchar la palabra

Lucas 21:25–28, 34–36

En el nombre del Padre, y del Hijo, y del Espíritu Santo.

En aquel tiempo, Jesús dijo a sus discípulos: "Habrá señales prodigiosas en el sol, en la luna y en las estrellas. En la tierra, las naciones se llenarán de angustia y de miedo por el estruendo de las olas del mar; la gente se morirá de terror y de angustiosa espera por las cosas que vendrán sobre el mundo, pues hasta las estrellas se bambolearán. Entonces verán venir al Hijo del hombre en una nube, con gran poder y majestad.

Cuando estas cosas comiencen a suceder, pongan atención y levanten la cabeza, porque se acerca la hora de su liberación. Estén alerta, para que los vicios, con el libertinaje, la embriaguez y las preocupaciones de esta vida no entorpezcan su mente y aquel día los sorprenda desprevenidos; porque caerá de repente como una trampa sobre todos los habitantes de la tierra.

Velen, pues, y hagan oración continuamente, para que puedan escapar de todo lo que ha de suceder y comparecer seguros ante el Hijo del hombre".

Reflexionar sobre la palabra

Cuando tiene que lidiar con la rutina, es fácil que el corazón se adormile y no mire las señales de Dios. Este primer evangelio del tiempo del Adviento nos invita a estar alertas los llamados de Dios. Entre los preparativos para la Navidad debemos incluir un buen tiempo para calibrar lo que es más importante en nuestra vida. Será importante constatar si Dios está en el centro de la vida de nuestra familia. No podemos dejar que las ansiedades cotidianas aparten nuestros ojos de nuestro Señor.

• • • • • • CAMINO A MISA

¿Cuándo ha sentido su corazón más despierto?

CAMINO A CASA • • • • • •

¿Cuál es su parte preferida del tiempo de Adviento? ¿Qué le gusta más de este?

Vivir la palabra

El Primer Domingo de Adviento es perfecto para establecer la rutina de su familia para la temporada. Si no tienen una corona de Adviento, puede poner una vela sobre la mesa y pronunciar en familia una oración simple pidiendo a Dios que cada uno de ustedes prepare su corazón para él. Invite a sus familiares a pedir por las personas que más necesitan sus oraciones.

Inmaculada Concepción de la Santísima Virgen María

Escuchar la palabra

Lucas 1:26–38

En el nombre del Padre, y del Hijo, y del Espíritu Santo.

En aquel tiempo, el ángel Gabriel fue enviado por Dios a una ciudad de Galilea, llamada Nazaret, a una virgen desposada con un varón de la estirpe de David, llamado José. La virgen se llamaba María.

Entró el ángel a donde ella estaba y le dijo: "Alégrate, llena de gracia, el Señor está contigo". Al oír estas palabras, ella se preocupó mucho y se preguntaba qué querría decir semejante saludo.

El ángel le dijo: "No temas, María, porque has hallado gracia ante Dios. Vas a concebir y a dar a luz un hijo y le pondrás por nombre Jesús. El será grande y será llamado Hijo del Altísimo; el Señor Dios le dará el trono de David, su padre, y él reinará sobre la casa de Jacob por los siglos y su reinado no tendrá fin".

María le dijo entonces al ángel: "¿Cómo podrá ser esto, puesto que yo permanezco virgen?" El ángel le contesto: "El Espíritu Santo descenderá sobre ti y el poder del Altísimo te cubrirá con su sombra. Por eso, el Santo, que va a nacer de ti, será llamado Hijo de Dios. Ahí tienes a tu parienta Isabel, que, a pesar de su vejez, ha concebido un hijo y ya va en el sexto mes la que llamaban estéril, porque no hay nada imposible para Dios". María contestó: "Yo soy la esclava del Señor, cúmplase en mí lo que me has dicho". Y el ángel se retiró de su presencia.

Reflexionar sobre la palabra

El "Hágase" de María, su entrega total a la voluntad de Dios, fue un acto valiente de su confianza en Dios. Quizá podamos percibir en las vidas de los demás su "sí" a Dios, incluso con costos sociales y hasta profesionales.

······ CAMINO A MISA

¿Qué es aquello a lo que a usted le cuesta decir sí? ¿Qué pensarían los demás si usted lo dice?

CAMINO A CASA ······

El ángel Gabriel es un conocido mensajero de Dios. ¿Qué mensaje cree usted que le traería de parte de Dios?

Vivir la palabra

Platique a sus hijos de que los ángeles guardianes pueden ser invocados cuando los necesitamos. Invite a los niños a describir o dibujar un ángel y los colores que usan. Dígales que los ángeles son ayudantes especiales para Dios, que ellos nos cuidan ahora y nos guiarán cuando volvamos al cielo. Anímelos a que añadan a su ángel de la guarda en sus oraciones diarias.

9 de diciembre de 2018

Segundo Domingo de Adviento

Escuchar la palabra

Lucas 3:1–6

En el nombre del Padre, y del Hijo, y del Espíritu Santo.

En el año décimo quinto del reinado del César Tiberio, siendo Poncio Pilato procurador de Judea; Herodes, tetrarca de Galilea; su hermano Filipo, tetrarca de las regiones de Iturea y Traconítide; y Lisanias, tetrarca de Abilene; bajo el pontificado de los sumos sacerdotes Anás y Caifás, vino la palabra de Dios en el desierto sobre Juan, hijo de Zacarías.

Entonces comenzó a recorrer toda la comarca del Jordán, predicando un bautismo de penitencia para el perdón de los pecados, como está escrito en el libro de las predicciones del profeta Isaías:

Ha resonado una voz en el desierto: / Preparen el camino del Señor, / hagan rectos sus senderos. / Todo valle será rellenado, / toda montaña y colina, rebajada; / lo tortuoso se hará derecho, / los caminos ásperos serán allanados / y todos los hombres verán la salvación de Dios.

Reflexionar sobre la palabra

Al final, todos regresamos a Dios y somos iguales a sus ojos. Aun así, pasamos la mayor parte de nuestra vida acumulando montañas de trabajo, logros y premios que, algún día, no serán más altos que el suelo que nos sepulte. Este Adviento nos da la oportunidad de reconocer a los demás en el trabajo, en la comunidad y en el hogar. Al hacerlo, edificaremos el Reino de Dios con toda rectitud.

•••••• CAMINO A MISA

¿Qué injusticia le gustaría corregir en el mundo?

CAMINO A CASA ••••••

¿Hay algo que le pese tanto como una montaña en su vida? ¿Quién lo podría ayudar?

Vivir la palabra

Para el Segundo Domingo de Adviento, algunos familiares podrían sentirse ansiosos con los preparativos de la Navidad. Después de haber encendido la segunda vela de la corona de Adviento, invite a que cada quien se siente en silencio y se concentre en su respiración. Dígales que, mientras inhalan, respiren lentamente en paz y adquieran la sensación de descansar en Dios. Al exhalar lentamente, expulsen toda la ansiedad, las preocupaciones y los ajetreos que los rodean. Repitan este ejercicio varias veces, y terminen con una oración por la paz.

16 de diciembre de 2018

Tercer Domingo de Adviento

Escuchar la palabra

Lucas 3:10–18

En el nombre del Padre, y del Hijo, y del Espíritu Santo.

En aquel tiempo, la gente le preguntaba a Juan el Bautista: "¿Qué debemos hacer?" Él contestó: "Quien tenga dos túnicas, que dé una al que no tiene ninguna, y quien tenga comida, que haga lo mismo".

También acudían a él los publicanos para que los bautizara, y le preguntaban: "Maestro, ¿qué tenemos que hacer nosotros?" Él les decía: "No cobren más de lo establecido". Unos soldados le preguntaron: "Y nosotros, ¿qué tenemos que hacer?" Él les dijo: "No extorsionen a nadie, ni denuncien a nadie falsamente, sino conténtense con su salario".

Como el pueblo estaba en expectación y todos pensaban que quizá Juan era el Mesías, Juan los sacó de dudas, diciéndoles: "Es cierto que yo bautizo con agua, pero ya viene otro más poderoso que yo, a quien no merezco desatarle las correas de sus sandalias. Él los bautizará con el Espíritu Santo y con fuego. Él tiene el bieldo en la mano para separar el trigo De la paja; guardará el trigo en su granero y quemará la paja en un fuego que no se extingue".

Con éstas y otras muchas exhortaciones anunciaba al pueblo la buena nueva.

Reflexionar sobre la palabra

"¿Qué tenemos que hacer?", se pregunta la gente cuando enfrenta las preocupaciones del día. Nada alivia todas las heridas ni borra todo duelo. Pero la preocupación de un individuo puede animar el corazón de otro y aligerar su carga. No solo ofrecemos nuestro abrigo para dar calor, también nuestra amabilidad y sonrisas. El calor nos mantiene esperanzados en tiempos de oscuridad y frío. Cuando lo que nos rodea se oscurece, volteamos a Cristo, cuya luz compartimos con los demás. Compartida, su luz continúa creciendo hasta que, con la venida de Cristo, salimos de las sombras.

•••••• CAMINO A MISA

¿Cuál es la luz que le causa más alegría? ¿Cómo comparte esa luz con los demás?

CAMINO A CASA ••••••

¿Por qué la vela de este domingo es rosa y las otras moradas?

Vivir la palabra

En familia, enciendan la tercera vela de la corona de Adviento, y regocíjense con la calidez y alegría todos. Anímense a compartir hoy algo que les cause alegría. Invite a todos a hacer una pausa cada día de esta semana para dar gracias a Dios por ello. Disfruten de un abrazo familiar.

Cuarto Domingo de Adviento

Escuchar la palabra

Lucas 1:39–45

En el nombre del Padre, y del Hijo, y del Espíritu Santo.

En aquellos días, María se encaminó presurosa a un pueblo de las montañas de Judea, y entrando en la casa de Zacarías, saludó a Isabel. En cuanto ésta oyó el saludo de María, la creatura saltó en su seno.

Entonces Isabel quedó llena del Espíritu Santo, y levantando la voz, exclamó: "¡Bendita tú entre las mujeres y bendito el fruto de tu vientre! ¿Quién soy yo, para que la madre de mi Señor venga a verme? Apenas llegó tu saludo a mis oídos, el niño saltó de gozo en mi seno. Dichosa tú, que has creído, porque se cumplirá cuanto te fue anunciado de parte del Señor".

Reflexionar sobre la palabra

Theotokos, "la que da a luz a Dios", es uno de los muchos nombres que honran a la Virgen María. Ella era tan santa que incluso el bebé de Isabel, estando en el vientre de esta, reconoce la presencia divina de Jesús en el seno de la joven madre. María fue elegida para portar a Jesús, debido a la santidad tan profunda en ella. Su vida es testimonio del poder y la belleza de la fe absoluta y de humildad. Con fuerza y determinación, cultivó un mundo interior y exterior de bendiciones.

• • • • • • CAMINO A MISA

¿Qué dones porta usted que los demás puedan apreciar en su modo de vida?

CAMINO A CASA • • • • • •

¿Cuáles fueron los adornos en este Adviento? ¿Cómo serán los del Tiempo de Navidad?

Vivir la palabra

Cuando enciendan la cuarta vela de la corona de Adviento, diga a la familia que la historia del evangelio de hoy de la Visitación es el segundo de los cinco Misterios Gozosos del Rosario. Recen un avemaría, y diga a los niños que los otros misterios gozosos son la Anunciación, la Natividad, la Presentación en el templo y la búsqueda de Jesús en el templo. Pregunte a los niños por qué piensan que estos son llamados los Misterios Gozosos. Dígales que los otros Misterios se llaman Luminosos, Dolorosos y Gloriosos. Juntos, recen una avemaría por cada misterio gozoso.

Natividad del Señor

Escuchar la palabra

Lucas 2:15-20

En el nombre del Padre, y del Hijo, y del Espíritu Santo.

Cuando los ángeles los dejaron para volver al cielo, los pastores se dijeron unos a otros: "Vayamos hasta Belén, para ver eso que el Señor nos ha anunciado".

Se fueron, pues, a toda prisa y encontraron a María, a José y al niño, recostado en el pesebre. Después de verlo, contaron lo que se les había dicho de aquel niño, y cuantos los oían quedaban maravillados.

María, por su parte, guardaba todas estas cosas y las meditaba en su corazón. Los pastores se volvieron a sus campos, alabando y glorificando a Dios por todo cuanto habían visto y oído, según lo que se les había anunciado.

Reflexionar sobre la palabra

Es un día de mucha alegría; celebramos que Dios nos cuida tanto que hasta nos envió a su Hijo. Mediante este bebé, Dios nos salva y enmendó nuestra relación con él. Con este regalo tan grande, nos alegramos con ángeles y pastores. Por ser seguidores de Jesús, no podemos quedarnos con esta noticia. En Navidad, nuestro regocijo incluye considerar lo que haremos para que otros sepan del gran amor de Dios por nosotros.

•••••• CAMINO A MISA

¿Cómo es que los bebés reclaman tanto espacio? ¿Cómo interactúan los bebés con el mundo?

CAMINO A CASA ••••••

¿Qué personaje del evangelio de hoy le gustaría ser? ¿Prefiere usted ser pastor, ángel, María o José?

Vivir la palabra

Invite a la familia a que cada uno escoja un personaje del relato y compartan lo que creen que esa persona guardó en su corazón de lo sucedido ese día. Luego pídales que asuman una perspectiva diferente y que compartan sus pensamientos como si estuvieran en Belén. O sea, que compartan lo que ven, oyen, huelen y piensan.

Sagrada Familia de Jesús, María y José

Escuchar la palabra

Lucas 2:41–52

En el nombre del Padre, y del Hijo, y del Espíritu Santo.

Los padres de Jesús solían ir cada año a Jerusalén para las festividades de la Pascua. Cuando el niño cumplió doce años, fueron a la fiesta, según la costumbre. Pasados aquellos días, se volvieron a Nazaret, pero el niño Jesús se quedó en Jerusalén, sin que sus padres lo supieran. Creyendo que iba en la caravana, hicieron un día de camino; entonces lo buscaron, y al no encontrarlo, regresaron a Jerusalén en su busca.

Al tercer día lo encontraron en el templo, sentado en medio de los doctores, escuchándolos y haciéndoles preguntas. Todos los que lo oían se admiraban de su inteligencia y de sus respuestas. Al verlo, sus padres se quedaron atónitos y su madre le dijo: "Hijo mío, ¿por qué te has portado así con nosotros? Tu padre y yo te hemos estado buscando, llenos de angustia". Él les respondió: "¿Por qué me andaban buscando? ¿No sabían que debo ocuparme en las cosas de mi Padre?" Ellos no entendieron la respuesta que les dio. Entonces volvió con ellos a Nazaret y siguió sujeto a su autoridad. Su madre conservaba en su corazón todas aquellas cosas.

Jesús iba creciendo en saber, en estatura y en el favor de Dios y de los hombres.

Reflexionar sobre la palabra

Los papás se identifican con la angustia de María y José, y también se sienten sorprendidos por la respuesta de Jesús. El evangelio nos da la oportunidad de pensar en los misterios que son parte de nuestra vida. Jesús no dio a sus padres una respuesta fácil; les presentaba un misterio. José y María fueron a casa con Jesús para vivir el misterio. Cuando nos enfrentamos a lo que no entendemos, necesitamos entregarnos para vivir el misterio.

......CAMINO A MISA

¿Qué habría usted dicho a Jesús si usted hubiera sido su papá o mamá?

CAMINO A CASA ......

¿A quién considera usted su familia?

Vivir la palabra

Jesús nos enseña que nuestros deberes se extienden más allá de nuestra familia inmediata, a todos nuestras hermanas y hermanos en Cristo. Hagan un plan para conectarse con su familia parroquial. Decidan asistir juntos a un evento, invite a una familia recién llegada a la parroquia a tomar café o a comer a su casa, o comprométase en un nuevo ministerio. Note cómo el integrar a su pequeña familia en la familia parroquial hace crecer tanto a la Iglesia como a sus hijos.

Santa María, Madre de Dios

Escuchar la palabra

Lucas 2:16–21

En el nombre del Padre, y del Hijo, y del Espíritu Santo.

En aquel tiempo, los pastores fueron a toda prisa hacia Belén y encontraron a María, a José y al niño, recostado en el pesebre. Después de verlo, contaron lo que se les había dicho de aquel niño, y cuantos los oían quedaban maravillados. María, por su parte, guardaba todas estas cosas y las meditaba en su corazón.

Los pastores se volvieron a sus campos, alabando y glorificando a Dios por todo cuanto habían visto y oído, según lo que se les había anunciado.

Cumplidos los ocho días, circuncidaron al niño y le pusieron el nombre de Jesús, aquel mismo que había dicho el ángel, antes de que el niño fuera concebido.

Reflexionar sobre la palabra

En el evangelio de hoy apreciamos diferentes reacciones al nacimiento de Jesús. Los pastores se apresuraron en llegar a Belén para ver al Niño Jesús, y luego contaron a los demás la buena noticia, alabando a Dios. María, tras dar a luz, reflexionaba sobre esta experiencia, atesorándola en su corazón. Al comenzar este nuevo año, debemos pensar sobre nuestra respuesta al nacimiento de Jesús. ¿Reflexionamos sobre el nacimiento y compartimos con otros lo que ello significa para nosotros?

...... CAMINO A MISA

¿Qué cree usted que habrán pensado los pastores?

CAMINO A CASA ......

¿Qué hará usted para hacer este año inolvidable? ¿Cómo quiere que sea este año?

Vivir la palabra

En familia, dediquen este nuevo año a la voluntad de Dios. Podrían escribir con gis una bendición sobre alguna de las puertas, y adoptar un propósito individual o pensar en alguien que requiera de su tiempo, talento y atención. Dividan el calendario en trimestres (o programen recordatorios en su teléfono) para revisar cómo progresa la familia en su objetivo y reorientar así su vida familiar bajo la voluntad de Dios.

6 de enero de 2019

Epifanía del Señor

Escuchar la palabra
Mateo 2:1–5, 7–12

En el nombre del Padre, y del Hijo, y del Espíritu Santo.

Jesús nació en Belén de Judá, en tiempos del rey Herodes. Unos magos de Oriente llegaron entonces a Jerusalén y preguntaron: "¿Dónde está el rey de los judíos que acaba de nacer? Porque vimos surgir su estrella y hemos venido a adorarlo".

Al enterarse de esto el rey Herodes se sobresaltó y toda Jerusalén con él. Convocó entonces a los sacerdotes y a los escribes del pueblo y les preguntó dónde tenía que nacer el Mesías. Ellos le contestaron: "En Belén de Judá…"

Entonces Herodes llamó en secreto a los magos, para que le precisaran el tiempo en que se les había aparecido la estrella y los mandó a Belén, diciéndoles: "Vayan a averiguar cuidadosamente qué hay de ese niño, y cuando lo encuentren, avísenme para que yo también vaya a adorarlo".

Después de oír al rey, los magos se pusieron en camino, y de pronto la estrella que habían visto surgir, comenzó a guiarlos, hasta que se detuvo encima de donde estaba el niño. Al ver de Nuevo la estrella, se llenaron de inmensa alegría. Entraron en la casa y vieron al niño con María, su madre, y postrándose, lo adoraron. Después, abriendo sus cofres, le ofrecieron regalos: oro, incienso y mirra. Advertidos durante el sueño de que no volvieran a Herodes, regresaron a su tierra por otro camino.

Reflexionar sobre la palabra

La estrella que anunció la venida de Jesús muestra cómo Dios mantiene al universo bajo su cuidado y amor. Al celebrar que Dios envió a Jesús a todas las naciones, reconocemos que debe respetarse y honrarse a toda persona, así como el ambiente donde vive. La encíclica del papa Francisco *Laudato Si'* nos exhorta a examinar cómo tratamos el planeta. Cada uno de nosotros deberá considerar cómo trata las señales y las maravillas que Dios nos da.

······ CAMINO A MISA

De poder elegir una señal para anunciar su nacimiento, ¿cuál sería?

CAMINO A CASA ······

¿Qué regalaría usted a Jesús, María y José?

Vivir la palabra

Al celebrar la Epifanía, regálense unos a otros un servicio, una experiencia o algo que no sea un regalo material. Los regalos de los Reyes Magos eran simbólicos. ¿Qué acción significativa podrían hacer sus familiares en beneficio de otros familiares?

13 de enero de 2019

Bautismo del Señor

Escuchar la palabra

Lucas 3:15–16, 21–22

En el nombre del Padre, y del Hijo, y del Espíritu Santo.

En aquel tiempo, como el pueblo estaba en expectación y todos pensaban que quizá Juan el Bautista era el Mesías, Juan los sacó de dudas, diciéndoles: "Es cierto que yo bautizo con agua, pero ya viene otro más poderoso que yo, a quien no merezco desatarles las correas de sus sandalias. Él los bautizará con el Espíritu Santo y con fuego".

Sucedió que entre la gente que se bautizaba, también Jesús fue bautizado. Mientras éste oraba, se abrió el cielo y el Espíritu Santo bajó sobre él en forma sensible, como de una paloma, y del cielo llegó una voz que decía: "Tú eres mi Hijo, el predilecto; en ti me complazco".

Reflexionar sobre la palabra

Los padres, tíos y abuelos, se alegran todos cuando un niño va a ser bautizado. Mediante el sacramento, el bebé será convertido en hijo adoptivo de Dios. Es un momento muy especial porque el Espíritu Santo lo bañará con la luz de la santidad. Bañados en las aguas bautismales, pasamos a formar parte de la Iglesia, nuestra comunidad de fe que nos alimentará para aportar al mundo la luz de Cristo.

•••••• CAMINO A MISA

Cuente a sus niños algo del día de su bautismo.

CAMINO A CASA ••••••

En la lectura, el Espíritu Santo aparece como paloma. ¿Qué forma adoptaría el Espíritu Santo el día de hoy?

Vivir la palabra

El Espíritu Santo está entre nosotros y enriquece nuestra vida. Salga con su familia a caminar por su vecindario para constatar las bendiciones y maravillas de Dios. Tome notas. ¿Dónde ven al Espíritu Santo activo y comprometido? ¿Qué cosas son inspiradoras o desafiantes? ¿Qué puede aprender cada miembro de la familia de la perspectiva de los demás?

Segundo Domingo del Tiempo Ordinario

Escuchar la palabra

Juan 2:1-11

En el nombre del Padre, y del Hijo, y del Espíritu Santo.

En aquel tiempo, hubo una boda en Caná de Galilea, a la cual asistió la madre de Jesús. Éste y sus discípulos también fueron invitados. Como llegara a faltar el vino, María le dijo a Jesús: "Ya no tienen vino". Jesús le contestó: "Mujer, ¿qué podemos hacer tú y yo? Todavía no llega mi hora". Pero ella dijo a los que servían: "Hagan lo que él les diga".

Había allí seis tinajas de piedra, de cien litros cada una, para las purificaciones de los judíos. Jesús dijo a los que servían: "Llenen de agua esas tinajas". Y las llenaron hasta el borde. Entonces les dijo: "Saquen ahora un poco y llévenselo al mayordomo". Así lo hicieron, y en cuanto el mayordomo probó el agua convertida en vino, sin saber su procedencia, porque sólo los sirvientes la sabían, llamó al novio y le dijo: "Todo el mundo sirve primero el vino mejor, y cuando los invitados ya han bebido bastante, se sirve el corriente. Tú, en cambio, has guardado el vino mejor hasta ahora".

Esto que Jesús hizo en Caná de Galilea fue la primera de sus signos. Así manifestó su gloria y sus discípulos creyeron en él.

Reflexionar sobre la palabra

En el evangelio, vemos a María recurrir a Jesús para resolver un problema en una fiesta de bodas. María, en efecto, invita a Jesús a comenzar su misión. Al convertir el agua en vino, Jesús no únicamente resuelve un problema sino que comienza a realizar la obra para la que fue enviado por su Padre. Su hora ha llegado. Puede ser que no nos demos cuenta de que Dios nos llama a realizar su obra. Por eso, debemos abrirnos al misterio de ser llamados y permitir que Dios nos transforme para el trabajo que debemos hacer.

......CAMINO A MISA

¿Qué puede dar usted al mundo? ¿Qué sucederá entonces?

CAMINO A CASA ......

¿Cómo anima usted a otros a seguir la voluntad de Dios?

Vivir la palabra

En un vaso transparente, dé a cada miembro de la familia agua y un poco de colorante rojo. Pida que mencionen los actos de bondad que han visto realizar. Conforme se van mencionando las bondades, cada quien agrega una gota de colorante al agua. Observen cómo cambia el agua incolora. Noten la relación de bondad que a todos beneficia. Al terminar, beban y celebren cuán especial es cada uno de ustedes.

27 de enero de 2019

Tercer Domingo del Tiempo Ordinario

Escuchar la palabra

Lucas 4:14–21

En el nombre del Padre, y del Hijo, y del Espíritu Santo.

(Después de que Jesús fue tentado por el demonio en el desierto), impulsado por el Espíritu, volvió a Galilea. Iba enseñando en las sinagogas; todos lo alababan y su fama se extendió por toda la región. Fue también a Nazaret, donde se había criado. Entró en la sinagoga, como era su costumbre hacerlo los sábados, y se levantó para hacer la lectura. Se le dio el volumen del profeta Isaías, lo desenrolló y encontró el pasaje en que estaba escrito: *El espíritu del Señor está sobre mí, porque me ha ungido para llevar a los pobres la buena nueva, para anunciar la liberación a los cautivos y la curación a los ciegos, para dar libertad a los oprimidos y proclamar el año de gracia del Señor.*

Enrolló el volumen, lo devolvió al encargado y se sentó. Los ojos de todos los asistentes a la sinagoga estaban fijos en él. Entonces comenzó a hablar, diciendo: "Hoy mismo se ha cumplido este pasaje de la Escritura que acaban de oír".

Reflexionar sobre la palabra

Después de hacer la lectura de Isaías, Jesús anuncia que de él hablaba el profeta. ¿Se imaginan la reacción de los presentes? ¿Piensan ustedes que les costó creer que el Mesías estaba allí, frente a ellos? ¿Preferirían esperar a que viniera otra persona? ¿Por qué es difícil creer que Dios está allí, con ustedes?

•••••• CAMINO A MISA

¿Qué promesa espera usted ver cumplida? ¿Qué haría usted de hacerse realidad?

CAMINO A CASA ••••••

¿Cómo da las buenas noticias a los demás?

Vivir la palabra

Con la vida de cada uno de nosotros, Dios está cumpliendo una promesa. En familia, escriban la declaración de su misión o una promesa a Dios. ¿Qué es lo que Dios está cumpliendo por medio de ustedes? ¿Qué promesa quiere su familia hacer a Dios por los dones que él les ha otorgado? Pueden escribir su declaración en pocas frases o en forma de poema o en un dibujo.

3 de febrero de 2019

Cuarto Domingo del Tiempo Ordinario

Escuchar la palabra

Lucas 4:21–30

En el nombre del Padre, y del Hijo, y del Espíritu Santo.

En aquel tiempo, después de que Jesús leyó en la sinagoga un pasaje del libro de Isaías, dijo: "Hoy mismo se ha cumplido este pasaje de la Escritura que ustedes acaban de oír". Todos le daban su aprobación y admiraban la sabiduría de las palabras que salían de sus labios, y se preguntaban: "¿No es éste el hijo de José?"

Jesús les dijo: "Seguramente me dirán aquel refrán: 'Médico, cúrate a ti mismo' y haz aquí, en tu propia tierra, todos esos prodigios que hemos oído que has hecho en Cafarnaúm". Y añadió: "Yo les aseguro que nadie es profeta en su tierra. Había ciertamente en Israel muchas viudas en los tiempos de Elías, cuando faltó la lluvia durante tres años y medio, y hubo un hambre terrible en todo el país; sin embargo, a ninguna de ellas fue enviado Elías, sino a una viuda que vivía en Sarepta, ciudad de Sidón. Había muchos leprosos en Israel, en tiempos del profeta Eliseo; sin embargo, ninguno de ellos fue curado sino Naamán, que era de Siria".

Al oír esto, todos los que estaban en la sinagoga se llenaron de ira, y levantándose, lo sacaron de la ciudad y lo llevaron hasta un barranco del monte, sobre el que estaba construida la ciudad, para despeñarlo. Pero él, pasando por en medio de ellos, se alejó de ahí.

Reflexionar sobre la palabra

Jesús vuelve a su pueblo natal, a sus familiares y conocidos, y ni así lo escuchan. Solamente ven al pequeño que conocían. Con mucha frecuencia, abandonamos lo que somos, muy seguros de estar en lo correcto. ¡Somos ciudadanos de Nazaret! Por eso, es importante abrirnos a las personas y acontecimientos que nos rodean. De no hacerlo, perderemos la presencia de Dios entre nosotros.

......CAMINO A MISA

Identifiquen una idea o un pensamiento que les haya atraído o desafiado recientemente. ¿Por qué?

CAMINO A CASA ......

¿Cuándo fue que usted no notó la importancia de algo porque usted estaba tan acostumbrado a ello?

Vivir la palabra

Invite a sus familiares a que mencionen algo acerca de otro, algo de lo que están seguros es verdad. A la afirmación, la persona puede reaccionar. Háganlo de modo que solo haya comentarios positivos. Un niño puede decir, por ejemplo, que sabe que su padre tiene la delicadeza de llamar a su mamá cada semana. Después del ejercicio, pregunte a la familia cómo es verse a través de los ojos de otra persona y si han aprendido más de cada cual. Por último, pídales que nombren algo de sí mismos que piensan que nadie más ha notado.

Quinto Domingo del Tiempo Ordinario

Escuchar la palabra

Lucas 5:4–11

En el nombre del Padre, y del Hijo, y del Espíritu Santo.

[Jesús] dijo a Simón: "Lleva la barca más adentro y echen sus redes para pescar". Simón replicó: "Maestro, hemos trabajado toda la noche y no hemos pescado nada; pero, confiado en tu palabra, echaré las redes". Así lo hizo y cogieron tal cantidad de pescados, que las redes se rompían. Entonces hicieron señas a sus compañeros, que estaban en la otra barca, para que vinieran a ayudarlos. Vinieron ellos y llenaron tanto las dos barcas, que casi se hundían.

Al ver esto, Simón Pedro se arrojó a los pies de Jesús y le dijo: "¡Apártate de mí, Señor, porque soy un pecador!" Porque tanto él como sus compañeros estaban llenos de asombro al ver la pesca que habían conseguido. Lo mismo les pasaba a Santiago y a Juan, hijos de Zebedeo, que eran compañeros de Simón.

Entonces Jesús le dijo a Simón: "No temas; desde ahora serás pescador de hombres". Luego llevaron las barcas a tierra, y dejándolo todo; lo siguieron.

Reflexionar sobre la palabra

En repetidas ocasiones, Jesús pide a sus seguidores que no tengan miedo. A través de Jesús los discípulos experimentaron muchas cosas fuera de lo común, por lo que sería natural cierta aprehensión. Con todo, Jesús les pide confiar. Quizá enfrentemos situaciones que exigen fuerza y coraje de nuestra parte. Del evangelio aprendemos que no debemos confiar en tales atributos; más bien debemos confiar en Dios. Jesús muestra a los discípulos que él puede llenar sus redes, solo para que Pedro declare su indignidad. Jesús nos llama tal como somos y nos pide poner nuestra confianza en él.

......CAMINO A MISA

¿Se han perdido de algo por miedo? ¿Qué debieron haber hecho?

CAMINO A CASA ......

¿Se hubieran quedado ustedes en la barca con Jesús?

Vivir la palabra

Sin los utensilios correctos es casi imposible capturar peces y personas. Con su familia, hagan una lista de las cosas que se necesitan para pescar. (Sugerencia: hilo, anzuelos, corchos, plomos, gusanos, carnadas, alicates, maletín de primeros auxilios, protector solar, cubeta, navaja, bote, o sombrero). Hablen de que el pez puede escapar si no tienen lo esencial. Luego pregunte a la familia qué se necesita para llevar a la gente al Señor. Estos elementos pueden ser no tan evidentes como los que se usan para la pesca. Sin embargo, el amor, la paciencia y la bondad serán siempre indispensables.

Sexto Domingo del Tiempo Ordinario

Escuchar la palabra

Lucas 6:17, 20–23

En el nombre del Padre, y del Hijo, y del Espíritu Santo.

En aquel tiempo, Jesús descendió del monte con sus discípulos y sus apóstoles y se detuvo en un llano...

Mirando entonces a sus discípulos, Jesús les dijo: / "Dichosos ustedes los pobres, / porque de ustedes es el Reino de Dios. / Dichosos ustedes los que ahora tienen hambre, / porque serán saciados. / Dichosos ustedes los que lloran ahora, / porque al fin reirán.

Dichosos serán ustedes cuando los hombres los aborrezcan y los expulsen de entre ellos, y cuando los insulten y maldigan por causa del Hijo del hombre. Alégrense ese día y salten de gozo, porque su recompense será grande en el cielo. Pues así trataron sus padres a los profetas".

Reflexionar sobre la palabra

Todo es fugaz en el tiempo de Dios. Aguardamos el día en el que nuestras pobrezas queden transformadas por el Reino de Dios. Si hoy lloramos una pérdida, un día experimentaremos la totalidad en Dios. Jesús indica a la gente que sus lágrimas, sufrimiento y fidelidad al Señor no quedarán en el olvido. Aunque no reciban elogios en esta vida, Dios se regocija con ellos por toda la eternidad.

. . . . . . CAMINO A MISA

¿Cuándo se han sentido bendecidos por Dios? ¿Lo han sido en alguna experiencia triste?

CAMINO A CASA . . . . . .

¿Con cuál de las bienaventuranzas se identifican más ustedes? ¿Por qué?

Vivir la palabra

En familia, hagan una lista de sus bendiciones. Saquen su talento artístico y dibújenlas en trozos de papel, que puedan eslabonar como una cadena. Enlacen los eslabones para que sirvan de recordatorio de todas las cosas buenas que como familia agradecemos a Dios. Cuando alguien se sienta deprimido o mal, tome uno de los eslabones y léalo como recordatorio. Una vez que la cadena esté completamente desmontada, pueden reiniciar el proceso de nuevo.

Séptimo Domingo del Tiempo Ordinario

Escuchar la palabra

Lucas 6:27–38

En el nombre del Padre, y del Hijo, y del Espíritu Santo.

En aquel tiempo, Jesús dijo a sus discípulos: "Amen a sus enemigos, hagan el bien a los que los aborrecen, bendigan a quienes los maldicen y oren por quienes los difaman. Al que te golpee en una mejilla, preséntale la otra; al que te quite el manto, déjalo llevarse también la túnica. Al que te pida, dale; y al que se lleve lo tuyo, no se lo reclames.

Traten a los demás como quieran que los traten a ustedes; porque si aman sólo a los que los aman, ¿qué hacen de extraordinario? También los pecadores aman a quienes los aman. Si hacen el bien sólo a los que les hacen el bien, ¿qué tiene de extraordinario? Lo mismo hacen los pecadores. Si prestan solamente cuando esperan cobrar, ¿qué hacen de extraordinario? También los pecadores prestan a otros pecadores, con la intención de cobrárselo después.

Ustedes, en cambio, amen a sus enemigos, hagan el bien y presten sin esperar recompensa. Así tendrán un gran premio y serán hijos del Altísimo, porque él es bueno hasta con los malos y los ingratos. Sean misericordiosos, como su Padre es misericordioso. No juzguen y no serán juzgados; no condenen y no serán condenados; perdonen y serán perdonados. Den y se les dará: recibirán una medida buena, bien sacudida, apretada y rebosante en los pliegues de su túnica. Porque con la misma medida con que midan, serán medidos".

Reflexionar sobre la palabra

El cristiano va más allá de lo básico. Puesto que conocemos y sostenemos la luz de Dios en nuestra vida, debemos hacer mucho más que los que no conocen a Cristo. No solo nos asiste la gracia para hacer más, sino que esa es nuestra responsabilidad. No importa cuán difícil sea orar por alguien que nos ha ofendido, debemos hacerlo. Estos actos ablandan nuestro corazón y nos llenan de la gracia de Dios. Si nos abrimos para seguir a Cristo, el Espíritu Santo trabajará en nosotros.

• • • • • • CAMINO A MISA

¿A quién o qué ama más usted?

CAMINO A CASA • • • • • •

¿Qué ha hecho usted desinteresadamente por alguien?

Vivir la palabra

Hagan una dramatización para que su familia encuentre maneras de amar a los demás cuando es difícil. Anime a cada miembro de la familia a colocarse en ambos lados de un escenario en el que una persona es grosera y la otra actúa de una manera amorosa. Hagan luego una lluvia de ideas sobre las diferentes cosas que la persona amable podría decir y sobre cómo reaccionar en una difícil situación. Adopten algunas frases específicas para usarlas cuando alguien es ofensivo o hiriente.

3 de marzo de 2019

Octavo Domingo del Tiempo Ordinario

Escuchar la palabra

Lucas 6:39–45

En el nombre del Padre, y del Hijo, y del Espíritu Santo.

En aquel tiempo, Jesús propuso a sus discípulos este ejemplo: "¿Puede acaso un ciego guiar a otro ciego? ¿No caerán los dos en un hoyo? El discípulo no es superior a su maestro; pero cuando termine su aprendizaje, será como su maestro.

¿Por qué ves la paja en el ojo de tu hermano y no la viga que llevas en el tuyo? ¿Cómo te atreves a decirle a tu hermano: 'Déjame quitarte la paja que llevas en el ojo', ¿si no adviertes la viga que llevas en el tuyo? ¡Hipócrita! Saca primero la viga que llevas en tu ojo y entonces podrás ver, para sacar la paja del ojo de tu hermano.

No hay árbol bueno que produzca frutos malos, ni árbol malo que produzca frutos buenos. Cada árbol se conoce por sus frutos. No se recogen higos de las zarzas, ni se cortan uvas de los espinos. El hombre bueno dice cosas buenas, porque el bien está en su corazón, y el hombre malo dice cosas malas, porque el mal está en su corazón, pues la boca habla de lo que está lleno el corazón".

Reflexionar sobre la palabra

Mediante una dramatización ayude a encontrar maneras de amar a otros en dificultades. Anime a cada miembro de la familia a escoger bandos en un escenario: el de las personas groseras y el de las amables. Luego todos den ideas de cómo la persona amable puede reaccionar en esa difícil situación. Elijan unas cuantas frases que puedan usar cuando alguien sea ofensivo o hiriente.

...... CAMINO A MISA

¿Qué les gustaría cambiar en la forma como interactúan diariamente?

CAMINO A CASA ......

¿Cómo podemos ser más conscientes de aquello que nos impide ver con claridad?

Vivir la palabra

Hagan un ejercicio de memorización con la familia. Reúna algunos objetos y póngalos en la mesa; cúbralos con un paño. A medida que descubre los elementos brevemente, deje que todos los miren por primera vez. Luego, cúbralos y pida a la familia que anote los objetos que recuerden. Hablen de cómo el tiempo adicional y el trabajo en equipo ayudan a la memoria. ¿Qué faltas funcionan como una cubierta que nos impide ver las cosas claramente? ¿Cómo eliminar esos obstáculos?

Primer Domingo de Cuaresma

Escuchar la palabra

Lucas 4:1-13

En el nombre del Padre, y del Hijo, y del Espíritu Santo.

En aquel tiempo, Jesús, lleno del Espíritu Santo, regresó del Jordán y, conducido por el mismo Espíritu, se internó en el desierto, donde permaneció durante cuarenta días y fue tentado por el demonio.

No comió nada en aquellos días, y cuando se completaron, sintió hambre. Entonces el diablo le dijo: "Si eres el Hijo de Dios, dile a esta piedra que se convierta en pan". Jesús le contestó: "Está escrito: *No sólo de pan vive el hombre*".

Después lo llevó el diablo a un monte elevado y en un instante le hizo ver todos los reinos de la tierra y le dijo: "A mí me ha sido entregado todo el poder y la gloria de estos reinos, y yo los doy a quien quiero. Todo esto será tuyo, si te arrodillas y me adoras". Jesús le respondió: "Está escrito: *Adorarás al Señor, tu Dios, y a él sólo servirás*".

Entonces lo llevó a Jerusalén, lo puso en la parte más alta del templo y le dijo: "Si eres el Hijo de Dios, arrójate desde aquí, porque está escrito: *Los ángeles del Señor tienen órdenes de cuidarte y de sostenerte en sus manos, para que tus pies no tropiecen con las piedras*". Pero Jesús le respondió: "También está escrito: *No tentarás al Señor, tu Dios*".

Concluidas las tentaciones, el diablo se retiró de él, hasta que llegara la hora.

Reflexionar sobre la palabra

El diablo tienta a Jesús para que se sirva a sí mismo. Jesús podía alimentarse a sí mismo, tener todo el poder, y hacer que los ángeles vinieran a ayudarlo. Pero Jesús sabía quién era y que su misión no era servirse a sí mismo. Siempre que Jesús ejerce su poder es para revelar la gloria de Dios. Es fácil caer en la tentación de servirnos a nosotros mismos en lugar de a Dios. Durante esta Cuaresma, podemos examinar lo que nos tienta a desplazar a Dios. ¿Qué hacer para mantenernos adorando solo a Dios?

· · · · · · CAMINO A MISA

Describa algo o alguien que sea difícil de expresar, no digamos si tiene que hacerlo. ¿Por qué es difícil?

CAMINO A CASA · · · · · ·

¿Conoce su identidad profunda? ¿Cómo le ayuda esto a resistir las tentaciones?

Vivir la palabra

En Cuaresma es bueno explorar nuestra relación con Dios. En el centro de esa relación está el conocimiento de nosotros mismos como hijos de Dios. En las siguientes semanas, inicie con su familia una jornada de autoexploración. Invite a que hagan un retrato de sí mismos. Terminados los retratos, pida que cada quien hable de lo que hizo. Coloque los retratos de manera que se noten en el hogar.

17 de marzo de 2019

Segundo Domingo de Cuaresma

Escuchar la palabra

Lucas 9:28–36

En el nombre del Padre, y del Hijo, y del Espíritu Santo.

En aquel tiempo, Jesús se hizo acompañar de Pedro, Santiago y Juan, y subió a un monte para hacer oración. Mientras oraba, su rostro cambió de aspecto y sus vestiduras se hicieron blancas y relampagueantes. De pronto aparecieron conversando con él dos personajes, rodeados de esplendor: eran Moisés y Elías. Y hablaban de la muerte que le esperaba en Jerusalén.

Pedro y sus compañeros estaban rendidos de sueño; pero, despertándose, vieron la gloria de Jesús y de los que estaban con él. Cuando éstos se retiraban, Pedro le dijo a Jesús: "Maestro, sería bueno que nos quedáramos aquí y que hiciéramos tres chozas: una para ti, una para Moisés y otra para Elías", sin saber lo que decía.

No había terminado de hablar, cuando se formó una nube que los cubrió; y ellos, al verse envueltos por la nube, se llenaron de miedo. De la nube salió una voz que decía: "Éste es mi Hijo, mi escogido; escúchenlo". Cuando cesó la voz, se quedó Jesús solo.

Los discípulos guardaron silencio y por entonces no dijeron a nadie nada de lo que habían visto.

Reflexionar sobre la palabra

La Transfiguración les permite a los tres apóstoles ver a Jesús en su divinidad. Pedro, Santiago y Juan ahora conocen a su Maestro de una manera única. Esta Cuaresma, entraremos en la nube de la gloria, como hicieron los apóstoles, para darnos la oportunidad de encontrar al Hijo de Dios en nosotros, en unos y en otros, y en la creación misma. Únicamente la gloria de Dios nos permite ver la gloria de Dios. ¿Qué queremos contemplar?

······CAMINO A MISA

¿Qué manifiesta usted de la gloria de Dios?

CAMINO A CASA ······

Moisés y Elías conversan con Jesús, en el evangelio. A usted, ¿quién lo inspira? ¿Quién está a su lado?

Vivir la palabra

En nuestro caminar, nunca nos quedamos solos. La semana pasada hicimos un autorretrato, pero nuestra identidad se completa también con las visiones que otros tienen de nosotros. Pida a cada miembro de la familia que a cada retrato agregue detalles de cómo Dios ve a esa persona. Se pueden añadir palabras, frases, imágenes o simplemente más color o algo de fondo. Anime a la familia a dar a cada cuadro contexto y profundidad. Dese un momento para explorar estos collages familiares y observe cómo cada imagen se va completando.

24 de marzo de 2019

TERCER DOMINGO DE CUARESMA

Escuchar la palabra

Lucas 13:1–9

En el nombre del Padre, y del Hijo, y del Espíritu Santo.

En aquel tiempo, algunos hombres fueron a ver a Jesús y le contaron que Pilato había mandado matar a unos galileos, mientras estaban ofreciendo sus sacrificios. Jesús les hizo este comentario: "¿Piensan ustedes que aquellos galileos, porque les sucedió esto, eran más pecadores que todos los demás galileos? Ciertamente que no; y si ustedes no se arrepienten, perecerán de manera semejante. Y aquellos dieciocho que murieron aplastados por la torre de Siloé, ¿piensan acaso que eran más culpables que todos los demás habitantes de Jerusalén? Ciertamente que no; y si ustedes no se arrepienten, perecerán de manera semejante".

Entonces les dijo esta parábola: "Un hombre tenía una higuera plantada en su viñedo; fue a buscar higos y no los encontró. Dijo entonces al viñador: 'Mira, durante tres años seguidos he venido a buscar higos en esta higuera y no los he encontrado. Córtala. ¿Para qué ocupa la tierra inútilmente?' El viñador le contestó: 'Señor, déjala todavía este año; voy a aflojar la tierra alrededor y a echarle abono, para ver si da fruto. Si no, el año que viene la cortaré'".

Reflexionar sobre la palabra

Jesús invita a la gente a que entregue su vida a Dios o morirá igual que a aquellos cuya suerte condenan. Con la parábola de la higuera, Jesús muestra a sus inquisidores que es posible cambiar su vida, aunque no hayan dado buenos frutos hasta ahora. Así como el viñador tratará de nutrir la higuera suavizando la tierra y agregando fertilizante, podemos nutrir nuestra relación con Dios mediante la oración y las buenas obras.

. . . . . . CAMINO A MISA

¿Qué significa ser culpable? ¿Cuándo fue la última vez que usted se sintió culpable?

CAMINO A CASA . . . . . .

¿De qué ha de arrepentirse durante esta Cuaresma?

Vivir la palabra

Parte de lo que somos incluye nuestras faltas y errores. Pida que cada miembro de la familia agregue una cinta roja o color rojo a su retrato para simbolizar los propios defectos y debilidades. Luego anime a cada miembro de la familia a pedir perdón al resto de la familia por esas fallas. Platiquen sobre cómo la familia ayudará a cada uno a superar determinada deficiencia.

31 de marzo de 2019

Cuarto Domingo de Cuaresma

Escuchar la palabra

Lucas 15:11, 13c–14a, 14c, 17a, 20a, 20f–22a, 23b–25, 28–29, 31–32 .

En el nombre del Padre, y del Hijo, y del Espíritu Santo.

Jesús les dijo entonces esta parábola: "Un hombre tenía dos hijos, ... el hijo menor, ... se fue a un país lejano y allá derrochó su fortuna, viviendo de una manera disoluta. Después de malgastarlo todo, ... él empezó a padecer necesidad...
Se puso entonces a reflexionar y... se puso en camino hacia la casa de su padre. Estaba todavía lejos, cuando su padre... corrió hacia él, y echándole los brazos al cuello, lo cubrió de besos. El muchacho le dijo: 'Padre, he pecado contra el cielo y contra ti; ya no merezco llamarme hijo tuyo'.

Pero el padre les dijo a sus criados: '...Comamos y hagamos una fiesta, porque este hijo mío estaba muerto y ha vuelto a la vida, estaba perdido y lo hemos encontrado'. Y empezó el banquete.

El hijo mayor estaba en el campo y al volver, cuando se acercó a la casa, oyó la música y los cantos... El hermano mayor se enojó y no quería entrar.

Salió entonces el padre y le rogó que entrara; pero él replicó: '¡Hace tanto tiempo que te sirvo, sin desobedecer jamás una orden tuya, y tú no me has dado nunca ni un cabrito para comérmelo con mis amigos! ...'.

El padre repuso: 'Hijo, tú siempre estás conmigo y todo lo mío es tuyo. Pero era necesario hacer fiesta y regocijarnos, porque este hermano tuyo estaba muerto y ha vuelto a la vida, estaba perdido y lo hemos encontrado'".

Reflexionar sobre la palabra

No importa si pecamos, ni cuánto tiempo nos hemos alejado de Dios: volver merece una celebración. En la parábola, Jesús retrata a Dios como el padre que no solo aguarda a su hijo sino que corre a encontrarlo. Tan grande es la alegría del padre, que abraza y besa a su hijo antes de oír cualquier disculpa. También nosotros, podemos volver a Dios tras habernos alejado y descuidado nuestra relación con él. Nuestro Señor siempre nos espera.

......CAMINO A MISA

¿Alguna vez se ha sentido perdido? ¿Cómo fue eso?

CAMINO A CASA ......

¿Alguna vez ha sentido el cariño de ser aceptado aun cuando no había dado lo mejor de sí?

Vivir la palabra

Comente a la familia que, aunque estemos físicamente cerca de alguien, habría que volver a esa persona. Pida reflexionar en lo que han perdido. Quizás alguien haya perdido la alegría en las cosas simples, y otro la capacidad de apreciar el regalo que el hermano menor puede ser. Prepare una celebración casera para recuperar estas cosas. Cada quien coloque un objeto físico cerca de su retrato que simbolice lo que quiere recuperar en su vida.

7 de abril de 2019

Quinto Domingo de Cuaresma

Escuchar la palabra

Juan 8:3–11

En el nombre del Padre, y del Hijo, y del Espíritu Santo.

Los escribas y fariseos le llevaron [a Jesús] a una mujer sorprendida en adulterio, y poniéndola frente a él, le dijeron: "Maestro, esta mujer ha sido sorprendida en flagrante adulterio. Moisés nos manda en la ley apedrear a estas mujeres. ¿Tú que dices?"

Le preguntaban esto para ponerle una trampa y poder acusarlo. Pero Jesús se agachó y se puso a escribir en el suelo con el dedo. Pero como insistían en su pregunta, se incorporó y les dijo: "Aquél de ustedes que no tenga pecado, que le tire la primera piedra". Se volvió a agachar y siguió escribiendo en el suelo.

Al oír aquellas palabras, los acusadores comenzaron a escabullirse uno tras otro, empezando por los más viejos, hasta que dejaron solos a Jesús y a la mujer, que estaba de pie, junto a él.

Entonces Jesús se enderezó y le preguntó: "Mujer, ¿dónde están los que te acusaban? ¿Nadie te ha condenado?" Ella le contestó: "Nadie, Señor". Y Jesús le dijo: "Tampoco yo te condeno. Vete y ya no vuelvas a pecar".

Reflexionar sobre la palabra

Por todas partes oímos condenas y reprobación, ya sea en las noticias, en la escuela o en el trabajo. Resulta que enjuiciamos a otros con facilidad, pero no a nosotros mismos. Quizás por eso mismo estamos prontos a lanzar piedras. Cuando nos cause estupefacción la debilidad o imperfección de alguien, pensemos qué hay en nosotros de ese defecto. En lugar de concentrarnos en la imperfección, busquemos identificarnos con esa persona y volvernos sus compañeros compasivos.

......CAMINO A MISA

¿Cuándo ha criticado usted a otra persona? ¿Ha tenido en cuenta cómo usted es y se comporta al hacerlo?

CAMINO A CASA ......

¿Cómo podemos ayudar a quienes viven equivocadamente?

Vivir la palabra

Agregue algunas piedras en el área de su retrato. En lugar de las piedras de la condena, celebren sus fortalezas y lo que les capacita para ser fundamentos del Reino de Dios. Dese tiempo para elegir las piedras que encuentre fuera o una colección especial. Que cada persona nombre la fuerza que representa cada piedra. Jesús escogió construir a otros en lugar de derribarlos. Hagamos lo mismo conforme nos acercamos a la celebración de la Pascua.

14 de abril de 2019

Domingo de Ramos de la Pasión del Señor

Escuchar la palabra

Lucas 19:36-40

En el nombre del Padre, y del Hijo, y del Espíritu Santo.

Conforme iba avanzando [Jesús], la gente tapizaba el camino con sus mantos, y cuando ya estaba cerca la bajada del monte de los Olivos, la multitud de discípulos, entusiasmados, se pusieron a alabar a Dios a gritos por todos los prodigios que habían visto, diciendo: / "*¡Bendito el rey / que viene en el nombre del Señor*! / ¡Paz en el cielo / y gloria en las alturas!"

Algunos fariseos que iban entre la gente le dijeron: "Maestro, reprende a tus discípulos". Él les replicó: "Les aseguro que, si ellos se callan, gritarán las piedras".

Reflexionar sobre la palabra

Con ramas de palma en mano, y en procesión, entramos en las semanas más santas del año litúrgico. El Domingo de Ramos nos unimos a los discípulos del tiempo de Jesús, regocijándonos porque ha llegado el Mesías. El evangelio de la procesión deja en claro que incluso la creación sabe que Jesús debe ser alabado. Cuando los fariseos le piden a Jesús que reprenda a sus discípulos, le oímos decir que, si los seguidores no alaban a Jesús, las piedras lo harán.

......CAMINO A MISA

¿Qué significó el año pasado para usted portar ramas de palma?

CAMINO A CASA ......

¿Por qué hoy nos alegramos, antes de la resurrección de Jesús?

Vivir la palabra

En el evangelio escuchamos que Jesús es acusado injustamente. Nuestra identidad se da en comunidad y se refleja en el modo de tratarnos. Si mi hermano o hermana sufre, yo también. Lea en voz alta a su familia una historia verídica sobre un preso injustamente acusado que finalmente fue exonerado. Escriba, con su familia, una carta a esa persona. Averigüe sobre la vida de la persona en cuestión y compártalo tanto como sea apropiado para la edad de sus hijos. De ser posible, envíe la carta a esa persona. Añada un retrato de la persona a los de la familia y manténgala en la oración familiar.

21 de abril de 2019

Domingo de Pascua de la Resurrección del Señor

Escuchar la palabra
Juan 20:1-9

En el nombre del Padre, y del Hijo, y del Espíritu Santo.

El primer día después del sábado, estando todavía oscuro, fue María Magdalena al sepulcro y vio removida la piedra que lo cerraba. Echó a correr, llegó a la casa donde estaban Simón Pedro y el otro discípulo, a quien Jesús amaba, y les dijo: "Se han llevado del sepulcro al Señor y no sabemos dónde lo habrán puesto".

Salieron Pedro y el otro discípulo camino del sepulcro. Iban corriendo juntos, pero el otro discípulo corrió más aprisa que Pedro y llegó primero al sepulcro, e inclinándose, miró los lienzos en el suelo, pero no entró.

En eso llegó también Simón Pedro, que lo venía siguiendo, y entró en el sepulcro. Contempló los lienzos puestos en el suelo y el sudario que había estado sobre la cabeza de Jesús, puesto no con los lienzos en el suelo, sino doblado en sitio aparte. Entonces entró también el otro discípulo, el que había llegado primero al sepulcro, y vio y creyó, porque hasta entonces no habían entendido las Escrituras, según las cuales Jesús debía resucitar de entre los muertos.

Reflexionar sobre la palabra

Dado que celebramos la realidad de la resurrección de Jesús cada domingo, es difícil imaginarnos lo impactante que ese evento debió haber sido para María y los discípulos. Sin embargo, ellos no necesitaron comprender plenamente el misterio para experimentar y difundir la alegría. Nosotros tampoco. No tenemos que ser teólogos ni eruditos para difundir la Buena Nueva de Pascua. Si dejamos que el gozo de la resurrección llene nuestros corazones, nunca dejaremos de contarla a nuestros seres queridos.

······ CAMINO A MISA

¿Hay alguien a quien usted le gustaría contar la resurrección de Jesús? ¿Qué le detiene?

CAMINO A CASA ······

¿Tiene usted algún motive para gritar "aleluya"?

Vivir la palabra

Estamos en la última semana con los retratos de Cuaresma. Decore y exulte con lo que han experimentado. Puede agregar cintas, pegatinas, o diamantina. Pida a cada persona que se dé tiempo para reflexionar sobre cómo ha cambiado. Invite a la familia a conversar sobre si dibujarían su imagen de la misma manera, y lo que han aprendido de sí mismos. Los miembros de la familia pueden tomar su retrato y mantenerlo en su habitación como un recuerdo de su crecimiento.

Segundo Domingo de Pascua / de la Divina Misericordia

Escuchar la palabra

Juan 20:19-29

En el nombre del Padre, y del Hijo, y del Espíritu Santo.

Al anochecer del día de la resurrección, estando cerradas las puertas de la casa donde se hallaban los discípulos, por miedo a los judíos, se presentó Jesús en medio de ellos y les dijo: "La paz esté con ustedes". Dicho esto, les mostró las manos y el costado. Cuando los discípulos vieron al Señor, se llenaron de alegría.

De nuevo les dijo Jesús: "La paz esté con ustedes. Como el Padre me ha enviado, así también los envío yo". Después de decir esto, sopló sobre ellos y les dijo: "Reciban al Espíritu Santo. A los que les perdonen los pecados, les quedarán perdonados; y a los que no se los perdonen, les quedarán sin perdonar".

Tomás, uno de los Doce, a quien llamaban el Gemelo, no estaba con ellos cuando vino Jesús, y los otros discípulos le decían: "Hemos visto al Señor". Pero él les contestó: "Si no veo en sus manos la señal de los clavos y si no meto mi dedo en los agujeros de los clavos y no meto mi mano en su costado, no creeré".

Ocho días después, estaban reunidos los discípulos a puerta cerrada y Tomás estaba con ellos. Jesús se presentó de nuevo en medio de y les dijo: "La paz esté con ustedes". Luego le dijo a Tomás: "Aquí están mis manos; acerca tu dedo. Trae acá tu mano, métela en mi costado y no sigas dudando, sino cree". Tomás le respondió: "¡Señor mío y Dios mío!" Jesús añadió: "Tú crees porque me has visto; dichosos los que creen sin haber visto".

Reflexionar sobre la palabra

Jesús hace hincapié en el don de la paz cuando llega en paz y envía a sus discípulos en paz. Con esto nos recuerda que él es el Príncipe de la Paz (Isaías 9:5). Jesús ejerce el poder para la paz. Viene en paz, con paz y por paz. Su mensaje permanece consistente y puro, porque evita todo tipo de violencia.

. . . . . . CAMINO A MISA

¿Por qué Jesús enfatiza la paz?

CAMINO A CASA . . . . . .

Al Segundo Domingo de Pascua se le conoce como Domingo de la Divina Misericordia. ¿Cómo se relacionan paz y misericordia?

Vivir la palabra

Tomás dudó; nosotros a veces. Pida a cada familiar hacer una lista de sus dudas o preocupaciones y calificarlas del uno al cinco, siendo uno la más importante y cinco la menos urgente. Repasen las listas en familia, y vean si el compartir las dudas facilita la carga. ¿Hay otras maneras de que la familia pueda ayudar a sobrellevar la carga? Tras conversar, invite a la familia a repasar las listas. ¿Las calificarían igual ahora?

Tercer Domingo de Pascua

Escuchar la palabra

Juan 21:1a, 2–3a, 4a, 5–8a, 9a, 12a, 15–17

En el nombre del Padre, y del Hijo, y del Espíritu Santo.

En aquel tiempo, Jesús se les apareció otra vez
a los discípulos…

Estaban juntos Simón Pedro, Tomás (llamado el Gemelo),
Natanael (el de Caná de Galilea), los hijos de Zebedeo y otros
dos discípulos. Simón Pedro les dijo: "Voy a pescar". Ellos le
respondieron: "También nosotros vamos contigo" …

Estaba amaneciendo, cuando Jesús se apareció en la
orilla… "Muchachos, ¿han pescado algo?" Ellos contestaron: "No". Entonces él les dijo: "Echen la red a la derecha
de la barca y encontrarán peces". Así lo hicieron, y luego
ya no podían jalar la red por tantos pescados.

Entonces el discípulo a quien amaba Jesús le dijo a Pedro:
"Es el Señor". Tan pronto como Simón Pedro oyó decir que
era el Señor, se anudó a la cintura la túnica, pues se la
había quitado, y se tiró al agua. Los otros discípulos llegaron en la barca, arrastrando la red con los pescados…

Tan pronto como saltaron a tierra… les dijo Jesús:
"Vengan a almorzar" …

Después de almorzar le preguntó Jesús a Simón Pedro:
"Simón, hijo de Juan, ¿me amas más que éstos?" Él le
contestó: "Sí, Señor, tú sabes que te quiero". Jesús le dijo:

"Apacienta mis corderos". Por segunda vez le preguntó: "Simón, hijo de Juan, ¿me amas?" Él le respondió: "Sí, Señor, tú sabes que te quiero". Jesús le dijo: "Pastorea mis ovejas". Por tercera vez le preguntó: "Simón, hijo de Juan, ¿me quieres?" Pedro se entristeció de que Jesús le hubiera preguntado por tercera vez si lo quería y le contestó: "Señor, tú lo sabes todo; tú bien sabes que te quiero". Jesús le dijo: "Apacienta mis ovejas".

Reflexionar sobre la palabra

La generosidad de la pesca muestra que Dios proveerá a los discípulos con lo que necesiten para nutrir al pueblo. ¿Cuántas veces escatimamos nuestro tiempo, atención y afecto, alegando que apenas tenemos suficiente para alimentarnos? Conforme alimentemos a los demás, crecerá nuestra confianza en la abundancia providente de Dios.

······CAMINO A MISA

¿A quién puede usted nutrir esta semana con su tiempo y atención?

CAMINO A CASA ······

¿Cuáles son las "ovejas" de las que habla Jesús?

Vivir la palabra

Invite a algunos de sus amigos a una fiesta llena de todo lo que nutre a ustedes. La fiesta deberá tener una mezcla de narración, arte, poesía y música. Asegúrese de que cada persona estará interesada en algo de lo que allí se ofrecerá. Todos deben saber que este es un tiempo completamente libre.

12 de mayo de 2019

Cuarto Domingo de Pascua

Escuchar la palabra

Juan 10:27-30

En el nombre del Padre, y del Hijo, y del Espíritu Santo.

En aquel tiempo, Jesús dijo a los judíos: "Mis ovejas escuchan mi voz; yo las conozco y ellas me siguen. Yo les doy la vida eterna y no perecerán jamás; nadie las arrebatará de mi mano. Me las ha dado mi Padre, y él es superior a todos. El Padre y yo somos uno".

Reflexionar sobre la palabra

Las ovejas identifican la voz de Jesús porque han formado una relación con él, gracias a que han pasado tiempo juntos. Este evangelio puede ayudarnos a examinar nuestra relación con Dios. En la medida en que pasamos tiempo con Dios, en oración, se nutre nuestra relación y podremos distinguir su voz de la de otros. Si no pasamos tiempo con Dios en la oración, corremos riesgos de seguir la voz equivocada y alejarnos del que nos ama.

······ CAMINO A MISA

¿Alguna vez usted pensó saber exactamente dónde estaba y terminó perdido? ¿Cómo fue?

CAMINO A CASA ······

¿Cómo Dios, nuestro pastor, nos ayuda y protege?

Vivir la palabra

Organice a la familia para jugar a "el pastor y sus ovejas" o las escondidas, con una modificación. Uno será el pastor, mientras los demás serán las ovejas. Desde su lugar, el pastor cuenta con los ojos abiertos, tratando de rastrear a todos mientras se esconden. Terminado el recuento, el pastor busca a las ovejas. Lleven control del tiempo que tarda en encontrarlas a todas, para ver quién es el pastor más rápido. Todos hacen su turno. Terminado el juego, conversen sobre qué habilidades se necesitan para hacer un seguimiento de todo el mundo y lo difícil que era lograrlo.

Quinto Domingo de Pascua

Escuchar la palabra

Juan 13:31–33, 34–35

En el nombre del Padre, y del Hijo, y del Espíritu Santo.

Cuando Judas salió del cenáculo, Jesús dijo: "Ahora ha sido glorificado el Hijo del hombre y Dios ha sido glorificado en él. Si Dios ha sido glorificado en él, también Dios lo glorificará en sí mismo y pronto lo glorificará.

Hijitos, todavía estaré un poco con ustedes. Les doy un mandamiento nuevo: que se amen los unos a los otros, como yo los he amado; y por este amor reconocerán todos que ustedes son mis discípulos".

Reflexionar sobre la palabra

Amarnos unos a otros como Dios nos ama es un mandamiento difícil. Con tal amor vienen el perdón, la misericordia y la compasión. Cabe preguntarnos cómo podemos amar a cada persona como Dios ama. Cierto que no somos capaces de amar como Dios ama, pero hay que esforzarnos por amar a los demás perfectamente. Cada día nos ofrece múltiples oportunidades para amar como Dios nos quiere. De nosotros depende aceptar ese desafío.

......CAMINO A MISA

¿A quién conoce que ama y ve como Dios lo hace?

CAMINO A CASA ......

¿De qué manera muestra usted el amor de Dios a otros, de palabra, atenciones y acciones?

Vivir la palabra

Pida a cada miembro de su familia que recorte una docena de corazoncitos y anote en estos diferentes maneras en las que unos a otros pueden mostrar el amor de Dios, y pongan su nombre en los corazoncitos. Oculte los corazones por la casa, para que la gente los pueda encontrar en un libro que están leyendo, en su cama, u otro lugar, o sorpréndalos en su almuerzo. Cuando alguien encuentra un corazón, lo lleva a su autor. El autor debe hacer lo que está anotado allí. Los corazones pueden volver a ser ocultados o agregar más.

Sexto Domingo de Pascua

Escuchar la palabra

Juan 14:23-29

En el nombre del Padre, y del Hijo, y del Espíritu Santo.

En aquel tiempo, Jesús dijo a sus discípulos: "El que me ama, cumplirá mi palabra y mi Padre lo amará y haremos en él nuestra morada. El que no me ama no cumplirá mis palabras. La palabra que están oyendo no es mía, sino del Padre, que me envió. Les he hablado de esto ahora que estoy con ustedes; pero el Consolador, el Espíritu Santo que mi Padre les enviará en mi nombre, les enseñará todas las cosas y les recordará todo cuanto yo les he dicho.

La paz les dejo, mi paz les doy. No se la doy como la da el mundo. No pierdan la paz ni se acobarden. Me han oído decir: 'Me voy, pero volveré a su lado'. Si me amaran, se alegrarían de que me vaya al Padre, porque el Padre es más que yo. Se los he dicho ahora, antes de que suceda, para que cuando suceda, crean".

Reflexionar sobre la palabra

Cuando Jesús se despide de sus discípulos, les asegura que no estarán solos. Además del Padre y de Jesús mismo, a los que guardan su palabra, vendrá el Espíritu Santo para enseñarles y recordarles lo que Jesús les ha dicho. Jesús les asegura también que la paz que él les da será siempre suya. Finalmente, les garantiza que regresará. ¿Es usted capaz de entregar sus ansiedades a Dios?

······ CAMINO A MISA

¿Qué significa guardar la Palabra de Dios? ¿Cómo hace usted esto?

CAMINO A CASA ······

¿Qué diferencia un hogar de una casa? ¿Qué significa "estar en casa"?

Vivir la palabra

Con su familia, construya la casa de sus sueños. Llénela de cualidades y recuerdos en lugar de objetos. Hagan juntos los planos de la casa en un pedazo de papel grande, y en cada habitación escriban las experiencias y cualidades que quieran tener y sentir allí. Por ejemplo, en el dormitorio anoten "dulces sueños" y en la cocina "hospitalidad". Incluya también a las personas que quiera recibir en su hogar.

Ascensión del Señor

Escuchar la palabra

Lucas 24:46–53

En el nombre del Padre, y del Hijo, y del Espíritu Santo.

En aquel tiempo, Jesús se apareció a sus discípulos y les dijo: "Está escrito que el Mesías tenía que padecer y había de resucitar de entre los muertos al tercer día, y que en su nombre se había de predicar a todas las naciones, comenzando por Jerusalén, la necesidad de volverse a Dios y el perdón de los pecados. Ustedes son testigos de esto. Ahora yo les voy a enviar al que mi Padre les prometió. Permanezcan, pues, en la ciudad, hasta que reciban la fuerza de lo alto".

Después salió con ellos fuera de la ciudad, hacia un lugar cercano a Betania; levantando las manos, los bendijo, y mientras los bendecía, se fue apartando de ellos y elevándose al cielo. Ellos, después de adorarlo, regresaron a Jerusalén, llenos de gozo, y permanecían constantemente en el templo, alabando a Dios.

Reflexionar sobre la palabra

Con toda seguridad, los corazones de los discípulos se llenaban de zozobra al ver que Jesús era llevado al cielo. Debió ser difícil para ellos; sin embargo, el evangelio dice que se volvieron a Jerusalén "con gran alegría". La lectura de Hechos habla de un ángel instando a los discípulos a seguir adelante mientras observaban a Jesús dejarlos. El ángel les ayudó a ver que tenían que poner manos a la obra en la misión que Jesús les dejó. El mundo entero necesitaba oír la Buena Noticia de la vida, muerte y resurrección de Cristo.

......CAMINO A MISA

¿Alguna vez usted ha querido que un momento dure para siempre? ¿Por qué la vida tiene que seguir?

CAMINO A CASA ......

¿Alguna vez algún amigo suyo ha tenido que alejarse? ¿Fue difícil despedirse? ¿Cómo mantiene el contacto?

Vivir la palabra

Con su familia, busque en la Biblia relatos de apariciones de Jesús después de su resurrección. En un largo rollo de papel, hagan una cronología de esas experiencias para hacerse una imagen más completa de cómo Dios estaba presente a los discípulos en los días previos a la Ascensión. Utilice una frase o un símbolo para representar cada vez que Jesús fue visto y note las diferentes maneras y tiempos de sus apariciones a la gente. Luego, pida a sus familiares agregar algunos ejemplos de las veces que han notado la presencia de Cristo en sus vidas.

Domingo de Pentecostés

Escuchar la palabra

Juan 14:15–16, 23–26

En el nombre del Padre, y del Hijo, y del Espíritu Santo.

En aquel tiempo, Jesús dijo a sus discípulos: "Si me aman, cumplirán mis mandamientos; yo le rogaré al Padre y él les enviará otro Consolador que esté siempre con ustedes, el Espíritu de verdad.

El que me ama, cumplirá mi palabra y mi Padre lo amará y vendremos a él y haremos en él nuestra morada. El que no me ama, no cumplirá mis palabras. Y la palabra que están oyendo no es mía, sino del Padre, que me envió.

Les he hablado de esto ahora que estoy con ustedes; pero el Consolador, el Espíritu Santo que mi Padre les enviará en mi nombre, les enseñará todas las cosas y les recordará todo cuanto yo les he dicho".

Reflexionar sobre la palabra

¡Espíritu Santo, ven! La Iglesia enfoca nuestro amor a Dios al celebrar el ardiente descenso del Espíritu. El evangelio muestra que nuestro amor a Dios se manifiesta en la guarda de los mandamientos y la palabra de Jesús. Si no somos capaces de hacer eso, nuestro amor a Dios es hueco. El Espíritu nos acompaña siempre para guiarnos en el camino. Pensemos con qué frecuencia recurrimos a la guía del Espíritu Santo.

······CAMINO A MISA

¿Qué tan vivo es el fuego del Espíritu en usted?

CAMINO A CASA ······

¿Cómo alimenta en usted el fuego del Espíritu Santo?

Vivir la palabra

Haga una fogata en la chimenea, o en el asador, o en el patio de su casa, si lo permite su municipalidad, de lo contrario, encienda varias velas. Reúnanse en torno al fuego o las velas, y mencionen los dones que Dios les ha dado, y digan cómo van a alimentar su fulgor. Los siete dones del Espíritu son sabiduría, entendimiento, consejo o buen juicio, fortaleza, conocimiento, piedad y temor de Dios.

16 de junio de 2019

Santísima Trinidad

Escuchar la palabra

Juan 16:12–15

En el nombre del Padre, y del Hijo, y del Espíritu Santo.

En aquel tiempo, Jesús dijo a sus discípulos: "Aún tengo muchas cosas que decirles, pero todavía no las pueden comprender. Pero cuando venga el Espíritu de verdad, él los irá guiando hasta la verdad plena, porque no hablará por su cuenta, sino que dirá lo que haya oído y les anunciará las cosas que van a suceder. Él me glorificará, porque primero recibirá de mí lo que les vaya comunicando. Todo lo que tiene el Padre es mío. Por eso he dicho que tomará de lo mío y se lo comunicará a ustedes".

Reflexionar sobre la palabra

La verdad es una fuerza poderosa que solo existe en la comunidad. Para captar la verdad, debe mantenerla en relación. Dios existe únicamente en relación. El Padre, el Hijo y el Espíritu Santo están siempre en relación ininterrumpida. Nosotros, al ser creados a imagen de Dios, también estamos destinados a existir en relación y buscar la verdad juntos.

......CAMINO A MISA

¿Qué es algo que usted crea firmemente que es verdad? ¿Cómo sabe que lo es?

CAMINO A CASA ......

¿Cómo nota que usted está siempre en relación? ¿Cómo afecta sus decisiones cotidianas?

Vivir la palabra

Para que sus familiares noten cómo dependemos unos de otros, pida a cada uno dibujar un gran contorno de sí mismo y dividirlo en varias partes. Escriban los nombres de las personas que hayan influido en su corazón, y describa cómo ve las cosas (ojos), cómo las dice (voz y boca), o su habilidad para moverse (como si fuera un entrenador o instructor de baile). Estamos hechos de muchas partes, pero somos un cuerpo único. Note si sus familiares tienen similitudes o diferencias con quienes se sienten conectados y cómo.

SANTÍSIMOS CUERPO Y SANGRE DE CRISTO

Escuchar la palabra

Lucas 9:11–17

En el nombre del Padre, y del Hijo, y del Espíritu Santo.

En aquel tiempo, Jesús habló del Reino de Dios a la multitud y curó a los enfermos.

Cuando caía la tarde, los doce apóstoles se acercaron a decirle: "Despide a la gente para que vayan a los pueblos y caseríos a buscar alojamiento y comida, porque aquí estamos en un lugar solitario". Él les contestó: "Denles ustedes de comer". Pero ellos le replicaron: "No tenemos más que cinco panes y dos pescados; a no ser que vayamos nosotros mismos a comprar víveres para toda esta gente". Eran como cinco mil varones.

Entonces Jesús dijo a sus discípulos: "Hagan que se sienten en grupos como de cincuenta". Así lo hicieron, y todos se sentaron. Después Jesús tomó en sus manos los cinco panes y los dos pescados, y levantando su mirada al cielo, pronunció sobre ellos una oración de acción de gracias, los partió y los fue dando a los discípulos, para que ellos los distribuyeran entre la gente.

Comieron todos y se saciaron, y de lo que sobró se llenaron doce canastos.

Reflexionar sobre la palabra

Escuchamos que todos comieron y quedaron satisfechos. Hay restaurantes donde se puede comer todo cuanto uno quiera, y a veces parece que no bastará lo que hay. Pero Jesús alimentó a la gente tanto con su palabra, como con pan y pescado hasta dejarla satisfecha. También con el Cuerpo de Cristo, Dios nos satisface. Cuando nos alimentamos de y descansamos en el amor de Dios, nos damos cuenta de que siempre tendremos sed y hambre de esa gracia infinita. Nada basta, sino permanecer en el Cuerpo y la Sangre de Cristo.

......CAMINO A MISA

¿Qué es algo de lo que usted nunca parece tener bastante?

CAMINO A CASA ......

¿Dónde nota el Cuerpo de Cristo en la carne de hoy?

Vivir la palabra

Invite a todos en su familia a que lleven su respectivo platillo favorito para compartir en un picnic. Anímelos a que hablen de lo bien que se sienten cuando han compartido cariñosamente la comida. Compartir la comida nos alimenta tanto de alegría como el propio sustento. Esta es la sensación de disfrutar, de sentirnos satisfechos y alegres. Consideren cómo esta comprensión y sensación puede incorporarse a sus comidas diarias.

30 de junio de 2019

Decimotercer Domingo del Tiempo Ordinario

Escuchar la palabra

Lucas 9:51-62

En el nombre del Padre, y del Hijo, y del Espíritu Santo.

Cuando ya se acercaba el tiempo en que tenía que salir de este mundo, Jesús tomó la firme determinación de emprender el viaje a Jerusalén. Envió mensajeros por delante y ellos fueron a una aldea de Samaria para conseguirle alojamiento; pero los samaritanos no quisieron recibirlo, porque supieron que iba a Jerusalén. Ante esta negativa, sus discípulos Santiago y Juan le dijeron: "Señor, ¿quieres que hagamos bajar fuego del cielo para que acabe con ellos?" Pero Jesús se volvió hacia ellos y los reprendió.

Después se fueron a otra aldea. Mientras iban de camino, alguien le dijo a Jesús: "Te seguiré a dondequiera que vayas". Jesús le respondió: "Las zorras tienen madrigueras y los pájaros, nidos; pero el Hijo del hombre no tiene en dónde reclinar la cabeza".

A otro, Jesús le dijo: "Sígueme". Pero él le respondió: "Señor, déjame ir primero a enterrar a mi padre". Jesús le replicó: "Deja que los muertos entierren a sus muertos. Tú, ve y anuncia el Reino de Dios".

Otro le dijo: "Te seguiré, Señor; pero déjame primero despedirme de mi familia". Jesús le contestó: "El que empuña el arado y mira hacia atrás, no sirve para el Reino de Dios".

Reflexionar sobre la palabra

La primera impresión es que esta lectura parece dura, pero las palabras de Jesús muestran la realidad del discipulado. Seguir a Jesús es la prioridad del cristiano, por encima de todos los asuntos y las relaciones. Cuando hacemos de Dios el número uno en nuestra vida, todo lo demás estará en su lugar. ¿Hay algo que se interponga en el camino para seguir al Señor?

......CAMINO A MISA

¿Ha habido algo que usted haya antepuesto a Dios? ¿Olvidó usted rezar por la noche por desvelarse viendo la televisión?

CAMINO A CASA ......

¿Cuándo puso a Dios en primer lugar y le ayudó a realizar algo?

Vivir la palabra

Escojan una tarde para que la familia ponga primero a Dios deliberadamente. Anime a que cada quien pronuncie una oración antes de cada actividad para dedicarla a Dios de alguna manera. Al lavar los platos o cepillarse los dientes, puede dar gracias a Dios por los platos a lavar o los dientes a cepillar. Es posible que en esto haya que ayudar un poco a los niños pequeños. Conversen si expresar gratitud cambia el modo de hacer las tareas.

7 de julio de 2019

Decimocuarto Domingo del Tiempo Ordinario

Escuchar la palabra

Lucas 10:1–11

En el nombre del Padre, y del Hijo, y del Espíritu Santo.

En aquel tiempo, Jesús designó a otros setenta y dos discípulos y los mandó por delante, de dos en dos, a todos los pueblos y lugares a donde pensaba ir, y les dijo: "La cosecha es mucha y los trabajadores pocos. Rueguen, por tanto, al dueño de la mies que envíe trabajadores a sus campos. Pónganse en camino; yo los envío como corderos en medio de lobos. No lleven ni dinero, ni morral, ni sandalias y no se detengan a saludar a nadie por el camino. Cuando entren en una casa digan: 'Que la paz reine en esta casa'. Y si allí hay gente amante de la paz, el deseo de paz de ustedes, se cumplirá; si no, no se cumplirá. Quédense en esa casa. Coman y beban de lo que tengan, porque el trabajador tiene derecho a su salario. No anden de casa en casa. En cualquier ciudad donde entren y los reciban, coman lo que les den. Curen a los enfermos que haya y díganles: 'Ya se acerca a ustedes el Reino de Dios'.

Pero si entran en una ciudad y no los reciben, salgan por las calles y digan: 'Hasta el polvo de esta ciudad, que se nos ha pegado a los pies nos lo sacudimos, en señal de protesta contra ustedes. De todos modos, sepan que el Reino de Dios está cerca'".

Reflexionar sobre la palabra

Jesús envía a sus discípulos a difundir su mensaje con instrucciones específicas. Les dice que no lleven bolsa de dinero y que dependan de la hospitalidad de los extraños; que deben aceptar la hospitalidad que les ofrezcan, pero proseguir si no los reciben. Al encontrarse con personas pacíficas, la paz que los discípulos portan se ampliará. Estos enviados solo necesitan confiar completamente en el Señor. ¿Ha dependido usted completamente de Dios?

...... CAMINO A MISA

¿Cómo sería difundir la paz? ¿Dónde le gustaría que creciera la paz?

CAMINO A CASA ......

¿Cómo se concreta y extiende un pensamiento o idea?

Vivir la palabra

Con su familia, reproduzca un apoyo visual de la lectura de hoy. Necesitan servilletas de papel, marcadores lavables y agua. Pida a los niños que sobre las servilletas hagan dibujos que representen sus buenas obras. Luego explíqueles que el agua representa la paz de Dios, y meta las servilletas en el agua. Observen cómo el color se va desvaneciendo al mojarse. La paz de Dios hace que las buenas obras sean expansivas. Cuando estamos en paz, nuestro mensaje se expande rápida y fácilmente, y se adapta a cada situación.

Decimoquinto Domingo del Tiempo Ordinario

Escuchar la palabra

Lucas 10:30–35

En el nombre del Padre, y del Hijo, y del Espíritu Santo.

[Jesús dijo:] "Un hombre que bajaba por el camino de Jerusalén a Jericó, cayó en manos de unos ladrones, los cuales lo robaron, lo hirieron y lo dejaron medio muerto. Sucedió que por el mismo camino bajaba un sacerdote, el cual lo vio y pasó de largo. De igual modo, un levita que pasó por ahí, lo vio y siguió adelante. Pero un samaritano que iba de viaje, al verlo, se compadeció de él, se le acercó, ungió sus heridas con aceite y vino y se las vendó; luego lo puso sobre su cabalgadura, lo llevó a un mesón y cuidó de él. Al día siguiente sacó dos denarios, se los dio al dueño del mesón y le dijo: 'Cuida de él y lo que gastes de más, te lo pagaré a mi regreso'".

Reflexionar sobre la palabra

Tres personas encuentran al hombre que sufre, pero solo el samaritano actúa por compasión. El sacerdote y el levita habrían tenido buenas razones para cruzar al otro lado del camino, porque necesitaban mantenerse puros para el culto. Pero el culto puro al Señor se compone de justicia y misericordia. Justamente el samaritano, que daba culto en un lugar distinto al templo de Jerusalén, es quien revela al hombre caído en desgracia y casi muerto, la misericordia de Dios.

•••••• CAMINO A MISA

¿A qué aspecto de su vida le puede brindar más cariño? ¿Y a su vecindario y comunidad?

CAMINO A CASA ••••••

¿Dónde espera usted que suceda la bondad?

Vivir la palabra

La vida está llena de sorpresas. En familia, hagan una lista de las personas que les hayan causado pena o dolor en su vida. Luego, junto a los nombres escriba una lista de cosas buenas que hayan hecho. Enseguida dé gracias a Dios por las cosas buenas, y luego ore por usted y por ellos, para sanar y superar el dolor causado. A menudo, la ayuda nos viene de quienes menos la esperamos.

21 de julio de 2019

Decimosexto Domingo del Tiempo Ordinario

Escuchar la palabra

Lucas 10:38-42

En el nombre del Padre, y del Hijo, y del Espíritu Santo.

En aquel tiempo, entró Jesús en un poblado, y una mujer, llamada Marta, lo recibió en su casa. Ella tenía una hermana, llamada María, la cual se sentó a los pies de Jesús y se puso a escuchar su palabra. Marta, entre tanto, se afanaba en diversos quehaceres, hasta que, acercándose a Jesús, le dijo: "Señor, ¿no te has dado cuenta de que mi hermana me ha dejado sola con todo el quehacer? Dile que me ayude".

El Señor le respondió: "Marta, Marta, muchas cosas te preocupan y te inquietan, siendo así que una sola es necesaria. María escogió la mejor parte y nadie se la quitará".

Reflexionar sobre la palabra

¿Qué hacen la preocupación y la ansiedad sino alejarnos del presente? Jesús no castiga la hospitalidad de Marta ni su atención a los detalles, sino su incapacidad de estar presente con él en el momento. En nuestra vida también hay momentos para hacer a un lado el trabajo a fin de poder participar en momentos de gracia. Reflexione si ha dejado pasar momentos importantes por estar demasiado ocupado.

•••••• CAMINO A MISA

¿Estuvo usted demasiado ocupado para Dios la semana pasada?

CAMINO A CASA ••••••

¿De qué necesito despreocuparme, aunque sea por un día?

Vivir la palabra

Reúna a la familia y pida a cada miembro hablar sobre una preocupación en particular y cómo se sienten cuando piensan en esta. Pueden describir esa sensación con palabras o diciendo cómo su cuerpo reacciona cuando piensan en la preocupación; pueden usar una metáfora o un color para describir su sensación de angustia o apuro. Luego, invítelos a reflexionar sobre cómo se sentirían si le entregaran a Dios esa preocupación, aunque fuera por un día.

Decimoséptimo Domingo del Tiempo Ordinario

Escuchar la palabra

Lucas 11:1–13

En el nombre del Padre, y del Hijo, y del Espíritu Santo.

Un día, Jesús estaba orando y cuando terminó, uno de sus discípulos le dijo: "Señor, enséñanos a orar, como Juan enseñó a sus discípulos".

Entonces Jesús les dijo: "Cuando oren, digan: / 'Padre, santificado sea tu nombre, / venga tu Reino, / danos hoy nuestro pan de cada día / y perdona nuestras ofensas, / puesto que también nosotros perdonamos / a todo aquél que nos ofende, / y no nos dejes caer en tentación'".

También les dijo: "Supongan que alguno de ustedes tiene un amigo que viene a medianoche a decirle: 'Préstame, por favor, tres panes, pues un amigo mío ha venido de viaje y no tengo nada que ofrecerle'. Pero él le responde desde dentro: 'No me molestes. No puedo levantarme a dártelos, porque la puerta ya está cerrada y mis hijos y yo estamos acostados'. Si el otro sigue tocando, yo les aseguro que, aunque no se levante a dárselos por ser su amigo, sin embargo, por su molesta insistencia, sí se levantará y le dará cuanto necesite.

Así también les digo a ustedes: Pidan y se les dará, busquen y encontrarán, toquen y se les abrirá. Porque quien pide, recibe; quien busca, encuentra, y al que toca, se le abre. ¿Habrá entre ustedes algún padre que, cuando su hijo le pida pan, le dé una piedra? ¿O cuando le pida pescado le dé una víbora? ¿O cuando le pida huevo, le dé un alacrán? Pues, si ustedes, que son malos, saben dar cosas buenas a sus hijos, ¿cuánto más el Padre celestial dará el Espíritu Santo a quienes se lo pidan?"

Reflexionar sobre la palabra

Un niño confía en que cuando pida a su padre de comer, este le dará un pez. La lectura nos hace reflexionar en nuestra confianza en Dios. ¿Confiamos en Dios como para entregarle nuestras ansiedades? ¿Confiamos en Dios como para pedirle lo necesario? ¿O solo confiamos en nosotros mismos para obtener todo lo que necesitamos?

・・・・・・CAMINO A MISA

¿A qué puerta llamará esta semana? ¿Qué hará cuando se abra?

CAMINO A CASA ・・・・・・

¿Cuál es su frase favorita del Padrenuestro? ¿Por qué?

Vivir la palabra

Con su familia, escriba su versión del Padrenuestro. Adáptelo a su situación propia, tiempo y lugar. Por ejemplo, si el arroz es un alimento básico en su familia, reemplace la palabra "pan" por "arroz". Quizá la familia podría usar alguna otra imagen de Dios que encuentre en la Biblia, o bien seleccionar una melodía para cantar en oración. Use la oración que compusieron a la hora de comer esta semana.

Decimoctavo Domingo del Tiempo Ordinario

Escuchar la palabra

Lucas 12:13–21

En el nombre del Padre, y del Hijo, y del Espíritu Santo.

En aquel tiempo, hallándose Jesús en medio de una multitud, un hombre le dijo: "Maestro, dile a mi hermano que comparta conmigo la herencia". Pero Jesús le contestó: "Amigo, ¿quién me ha puesto como juez en la distribución de herencias?"

Y dirigiéndose a la multitud, dijo: "Eviten toda clase de avaricia, porque la vida del hombre no depende de la abundancia de los bienes que posea".

Después les propuso esta parábola: "Un hombre rico obtuvo una gran cosecha y se puso a pensar: '¿Qué haré, porque no tengo ya en dónde almacenar la cosecha? Ya sé lo que voy a hacer: derribaré mis graneros y construiré otros más grandes para guardar ahí mi cosecha y todo lo que tengo. Entonces podré decirme: Ya tienes bienes acumulados para muchos años; descansa, come, bebe y date a la buena vida'. Pero Dios le dijo: '¡Insensato! Esta misma noche vas a morir. ¿Para quién serán todos tus bienes?' Lo mismo le pasa al que amontona riquezas para sí mismo y no se hace rico de lo que vale ante Dios".

Reflexionar sobre la palabra

El tesoro de aquel hombre a nadie beneficiaba; ni siquiera a él, pues iba a morir antes de poder usar lo atesorado. Aquella riqueza no ayudó a los necesitados porque nunca se los ofreció. Era rico, mas su riqueza de nada le servía. Podemos reflexionar si nosotros somos ricos en lo que importa a Dios, o invertimos en cosas que de nada nos servirán.

......CAMINO A MISA

¿Qué cosa usted desea, aunque sabe que no la necesita?

CAMINO A CASA ......

¿Conoce a alguien que no come porque no tiene con qué comprarla? ¿Cómo se sentiría usted en esa condición?

Vivir la palabra

Camine con su familia por el vecindario y observe la abundancia que ofrece la naturaleza en este tiempo del año. Haga que se fijen en la variedad de flores y plantas. Si usted vive en un área de granjas y sembradíos, conversen sobre quiénes cultivan los alimentos, quiénes los consumirán y cómo llegarán a sus mesas. Si su familia tiene una hortaliza, vean si pueden llevar algunos productos a una despensa de alimentos.

11 de agosto de 2019

Decimonoveno Domingo del Tiempo Ordinario

Escuchar la palabra

Lucas 12:32-40

En el nombre del Padre, y del Hijo, y del Espíritu Santo.

En aquel tiempo, Jesús dijo a sus discípulos: "No temas, rebañito mío, porque tu Padre ha tenido a bien darte el Reino. Vendan sus bienes y den limosnas. Consíganse unas bolsas que no se destruyan y acumulen en el cielo un tesoro que no se acaba, allá donde no llega el ladrón, ni carcome la polilla. Porque donde está su tesoro, ahí estará su corazón.

Estén listos, con la túnica puesta y las lámparas encendidas. Sean semejantes a los criados que están esperando a que su señor regrese de la boda, para abrirle en cuanto llegue y toque. Dichosos aquellos a quienes su señor, al llegar, encuentre en vela. Yo les aseguro que se recogerá la túnica, los hará sentar a la mesa y él mismo les servirá. Y si llega a medianoche o a la madrugada y los encuentra en vela, dichosos ellos.

Fíjense en esto: Si un padre de familia supiera a qué hora va a venir el ladrón, estaría vigilando y no dejaría que se le metiera por un boquete en su casa. Pues también ustedes estén preparados, porque a la hora en que menos lo piensen vendrá el Hijo del hombre."

Reflexionar sobre la palabra

Nuestro propósito de esperar la venida de Dios no consiste en aguardar pasivamente, sino en activar nuestra disposición a recibirlo. Los discípulos pensaban que Dios llegaría en cualquier momento para el tiempo final sobre la tierra. Había emoción y expectación en cada cosa que hacían. En esta época, rodeada de tanta tecnología, la inmediatez del amor de Dios entre nosotros puede pasar inadvertida. Vale la pena reflexionar si vivimos atentos a la presencia de Dios.

......CAMINO A MISA

¿Qué espera usted ahora mismo?

CAMINO A CASA ......

¿Tiene algún valor el ocio? ¿Cuándo fue la última vez que usted se permitió la ociosidad?

Vivir la palabra

Anime a la familia a abstenerse por un día de pantallas o artefactos digitales, salvo los necesarios para el trabajo o la escuela. Recabe las distintas experiencias de estar sin sus aparatos por un día. ¿Se volvió más tranquila la casa? ¿Aminoró el ritmo de la vida? ¿Se aprendió a esperar? Sin una pantalla enfrente, ¿qué hacer mientras se espera? Converse con la familia si pueden tener un día o una noche semanal sin pantallas.

Asunción de la Santísima Virgen María

Escuchar la palabra

Lucas 1:39–55

En el nombre del Padre, y del Hijo, y del Espíritu Santo.

En aquellos días, María se encaminó presurosa a un pueblo de las montañas de Judea, y entrando en la casa de Zacarías, saludó a Isabel. En cuanto ésta oyó el saludo de María, la creatura saltó en su seno.

Entonces Isabel quedó llena del Espíritu Santo, y levantando la voz, exclamó: "Bendita tú entre las mujeres y bendito el fruto de tu vientre. ¿Quién soy yo para que la madre de mi Señor venga a verme? Apenas llegó tu saludo a mis oídos, el niño saltó de gozo en mi seno. Dichosa tú, que has creído, porque se cumplirá cuanto te fue anunciado de parte del Señor".

Entonces dijo María: / "Mi alma glorifica al Señor / y *mi espíritu se llena de júbilo en Dios, mi salvador,* / porque *puso sus ojos en la humildad de su esclava.* /

Desde ahora me llamarán dichosa todas las generaciones, / porque ha hecho en mí grandes cosas el que todo lo puede. / *Santo es su nombre* / *y su misericordia llega de generación a generación* / *a los que temen.* /

Ha hecho sentir el poder de su brazo: / dispersó a los de corazón altanero, / *destronó a los potentados* / *y exaltó a los humildes. / A los hambrientos los colmó de bienes / y a* los ricos los despidió sin nada. /

Acordándose de su misericordia, / vino en ayuda de Israel, su siervo, / como lo había prometido a nuestros padres, / a Abraham y a su descendencia, / para siempre".

Reflexionar sobre la palabra

Cuando María encuentra a Isabel, canta a Dios una oración que ahora llamamos el Magníficat. En ella habla del bien que Dios le ha hecho a ella y a sus antepasados. María se encuentra entre el Antiguo Testamento y el Nuevo Testamento, entre el antiguo y el nuevo pacto. Ella habla de la fidelidad, misericordia y compasión que Dios ha mostrado y mostrará a su pueblo y a todos sus fieles.

•••••• CAMINO A MISA

¿Cómo acostumbra alabar a Dios?

CAMINO A CASA ••••••

¿Por qué se describe a María como "humilde" y qué significa esto para usted?

Vivir la palabra

María se considera a sí misma "humilde" para llevar a Jesús en su vientre; la pura bondad de Dios. Pida a su familia buscar en las noticias ejemplos de personas que han alcanzado la grandeza, aunque vengan de familias pobres. ¿Conoce familiares o amigos con logros notables pero que por humildad nunca mencionan? Hablen de lo que significa alabar a Dios por las cosas buenas que les suceden.

18 de agosto de 2019

Vigésimo Domingo del Tiempo Ordinario

Escuchar la palabra

Lucas 12:49–53

En el nombre del Padre, y del Hijo, y del Espíritu Santo.

En aquel tiempo, Jesús dijo a sus discípulos: "He venido a traer fuego a la tierra ¡y cuánto desearía que ya estuviera ardiendo! Tengo que recibir un bautismo ¡y cómo me angustio mientras llega!

¿Piensan acaso que he venido a traer paz a la tierra? De ningún modo. No he venido a traer la paz, sino la división. De aquí en adelante, de cinco que haya en una familia, estarán divididos tres contra dos y dos contra tres. Estará dividido el padre contra el hijo, el hijo contra el padre, la madre contra la hija y la hija contra la madre, la suegra contra la nuera y la nuera contra la suegra".

Reflexionar sobre la palabra

A más de uno puede alarmar que Jesús dice que vino a traer la división, no la paz. En la lectura, resalta el costo del discipulado. Cuando alguien de la familia está encendido en el amor de Dios, puede costarle hasta relaciones con otros que se niegan a reconocer a Dios. Los seguidores del Señor que arden con su amor no pueden ser complacientes; trabajan por la justicia, con misericordia y compasión fervientes. Pero también experimenten rechazos de parte de quienes tienen otras prioridades. No importa lo que ocurra con las relaciones terrenales, pues es el amor de Dios lo que nos mantiene.

......CAMINO A MISA

¿Cuándo experimentó usted que el amor causara alguna división en su vida? ¿Qué sucedió?

CAMINO A CASA ......

¿Qué le ha concedido Dios para que su corazón arda?

Vivir la palabra

Con sus hijos y acorde a sus edades, dramatice una situación en la que una persona necesita defender el amor de Dios. Reparta a los niños escenarios y turnos para actuar cada lado de la situación. Explique lo fácil o difícil que resulta defender el amor, y cómo se siente estar del otro lado. Refine algunas frases específicas que puedan usar en cada situación. Si los niños se han preparado con algunas declaraciones, será más fácil para ellos ir en contra de la corriente popular. Pregunte a sus hijos si les gustaría explorar más alguna situación.

Vigesimoprimer Domingo del Tiempo Ordinario

Escuchar la palabra

Lucas 13:22–30

En el nombre del Padre, y del Hijo, y del Espíritu Santo.

En aquel tiempo, Jesús iba enseñando por ciudades y pueblos, mientras se encaminaba a Jerusalén. Alguien le preguntó: "Señor, ¿es verdad que son pocos los que se salvan?"

Jesús le respondió: "Esfuércense por entrar por la puerta, que es angosta, pues yo les aseguro que muchos tratarán de entrar y no podrán. Cuando el dueño de la casa se levante de la mesa y cierre la puerta, ustedes se quedarán afuera y se pondrán a tocar la puerta, diciendo: '¡Señor, ábrenos!' Pero él les responderá: 'No sé quiénes son ustedes'.

Entonces le dirán con insistencia: 'Hemos comido y bebido contigo y tú has enseñado en nuestras plazas'. Pero él replicará: 'Yo les aseguro que no sé quiénes son ustedes. Apártense de mí, todos ustedes los que hacen el mal'. Entonces llorarán ustedes y se desesperarán, cuando vean a Abraham, a Isaac, a Jacob y a todos los profetas en el Reino de Dios, y ustedes se vean echados fuera.

Vendrán muchos del oriente y del poniente, del norte y del sur, y participarán en el banquete del Reino de Dios. Pues los que ahora son los últimos, serán los primeros; y los que ahora son los primeros, serán los últimos".

Reflexionar sobre la palabra

No dé nada por hecho. Jesús recuerda que mientras el amor y la salvación de Dios están abiertos a todos, a muchos les resulta difícil aceptarlos. El Reino de Dios exige un compromiso activo de nuestra parte. Hay que elegir. En la medida que nos volvemos complacientes y nos resistimos a arder en su amor, nuestro camino para estar con él por la eternidad se vuelve resbaladizo. Jesús nos invita a vigilar siempre. De no esforzarnos en guardar el camino del Señor, no podemos esperar participar en la fiesta del Reino de Dios.

......CAMINO A MISA

¿Cómo puede usted ser más deliberado en su amor por Dios?

CAMINO A CASA ......

¿Qué se le pudo haber escapado durante la misa porque no tenía su atención en ella?

Vivir la palabra

Ejercítense en la intencionalidad por una tarde del fin de semana. Pida a los integrantes de su familia que elijan una de las tareas que hacen a menudo, pero que la realicen de manera más intencional y deliberada. Pueden ser tareas como la de poner la mesa, hacer la cama, un trabajo escolar, o incluso una lectura en voz alta. Anímelos a que noten cómo el ser intencional cambia la tarea y mejora la experiencia.

1 de septiembre de 2019

Vigesimosegundo Domingo del Tiempo Ordinario

Escuchar la palabra

Lucas 14:1a, 7–14

En el nombre del Padre, y del Hijo, y del Espíritu Santo.

Un sábado, Jesús fue a comer en casa de uno de los jefes de los fariseos... Mirando cómo los convidados escogían los primeros lugares, les dijo esta parábola:

"Cuando te inviten a un banquete de bodas, no te sientes en el lugar principal, no sea que haya algún otro invitado más importante que tú, y el que los invitó a los dos venga a decirte: 'Déjale el lugar a éste', y tengas que ir a ocupar, lleno de vergüenza, el último asiento. Por el contrario, cuando te inviten, ocupa el último lugar, para que, cuando venga el que te invitó, te diga: 'Amigo, acércate a la cabecera'. Entonces te verás honrado en presencia de todos los convidados. Porque el que se engrandece a sí mismo, será humillado; y el que se humilla, será engrandecido".

Luego dijo al que lo había invitado: "Cuando des una comida o una cena, no invites a tus amigos, ni a tus hermanos, ni a tus parientes, ni a los vecinos ricos; porque puede ser que ellos te inviten a su vez, y con eso quedarías recompensado. Al contrario, cuando des un banquete, invita a los pobres, a los lisiados, a los cojos y a los ciegos; y así serás dichoso, porque ellos no tienen con qué pagarte; pero ya se te pagará, cuando resuciten los justos".

Reflexionar sobre la palabra

Solemos esperar reciprocidad. Quizá hayamos invitado a alguien a almorzar o a comer solo si fuimos antes invitados. Jesús nos pide proceder de una manera diferente. Dice que los que no pueden devolvernos son quienes deben ser invitados al banquete. Pensemos que Dios nos invita al banquete celestial y nunca podremos pagarle.

......CAMINO A MISA

¿Recuerda alguna ocasión en la que fue deliberadamente humilde? ¿Qué sucedió? ¿Es capaz de reírse ahora?

CAMINO A CASA ......

¿Qué significa ser enaltecido a los ojos de Dios?

Vivir la palabra

El último será el primero. Converse con su familia acerca de cómo se sienten cuando han permitido que otra persona vaya primero. ¿Sintieron cierta satisfacción? ¿En qué circunstancias permiten que otras personas vayan antes? ¿Podrían hacer esto más a menudo? Anime a su familia a buscar ser el último, por un día. Ese día, diviértase invirtiendo el orden usual en todo, incluso comiendo postre primero.

ORACIONES COTIDIANAS

La señal de la cruz

La señal de la cruz es la primera oración y la última de cada día, y de toda la vida cristiana. Es una oración del cuerpo y de palabras. Cuando fuimos presentados para ser bautizados, la comunidad hizo este signo sobre nuestro cuerpo, por vez primera. Los papás acostumbran hacer esta señal sobre sus hijos, y nosotros nos signamos cada día, y también a los que amamos. Al morir, nuestros seres queridos harán esa señal sobre nosotros, por última vez.

En el nombre del Padre,

y del Hijo,

y del Espíritu Santo. Amén.

La Oración del Señor

La Oración del Señor o padrenuestro, es una oración muy importante para el cristiano, porque Jesús mismo la enseñó a sus discípulos, quienes, a su vez, la enseñaron a los demás miembros de la Iglesia. Hoy día, esta oración forma parte de la misa, del Rosario y la recitamos en toda ocasión. Contiene siete peticiones. Las primeras tres le piden a Dios que sea glorificado y alabado, y las cuatro restantes que provea a nuestras necesidades espirituales y corporales.

Padre nuestro, que estás en el cielo,

santificado sea tu Nombre;

venga a nosotros tu reino;

hágase tu voluntad en la tierra como en el cielo.

Danos hoy nuestro pan de cada día;

perdona nuestras ofensas,

como también nosotros perdonamos

a los que nos ofenden;

no nos dejes caer en la tentación,

y líbranos del mal. Amén.

El Credo de los Apóstoles

El Credo apostólico es uno de los más antiguos que conservamos. Se piensa que habría sido escrito hacia el siglo segundo. Este credo, también conocido como símbolo, es más breve que el niceno; expresa con mucha claridad la fe en Cristo y en la Santísima Trinidad, Padre, Hijo y Espíritu Santo. Algunas veces este credo se recita en la misa, especialmente en las misas de niños, y al iniciar el rezo del rosario.

Creo en Dios, Padre Todopoderoso,

Creador del cielo y de la tierra.

Creo en Jesucristo su único Hijo, nuestro Señor,

que fue concebido por obra y gracia del Espíritu Santo,

nació de Santa María Virgen,

padeció bajo el poder de Poncio Pilato,

fue crucificado, muerto y sepultado,

descendió a los infiernos,

al tercer día resucitó de entre los muertos,

subió a los cielos y está sentado a la derecha de Dios Padre, todopoderoso.

Desde allí va a venir a juzgar a vivos y muertos.

Creo en el Espíritu Santo, la santa Iglesia católica

la comunión de los santos,

el perdón de los pecados,

la resurrección de la carne

y la vida eterna. Amén.

El Credo Niceno

El Credo Niceno fue escrito en el Concilio de Nicea, en el año 325, cuando los obispos de la Iglesia se reunieron para articular la verdadera fe en Cristo y su relación con Dios Padre. Todos los fieles deben conocer este credo o símbolo, pues resume la fe de la Iglesia. Lo recitamos en misa.

Creo en un solo Dios,

Padre todopoderoso, Creador del cielo y de la tierra,

de todo lo visible y lo invisible.

Creo en un solo Señor, Jesucristo, Hijo único de Dios,

nacido del Padre antes de todos los siglos:

Dios de Dios, Luz de Luz,

Dios verdadero de Dios verdadero,

engendrado, no creado,

de la misma naturaleza del Padre,

por quien todo fue hecho;

que por nosotros lo hombres,

y por nuestra salvación bajó del cielo,

y por obra del Espíritu Santo

se encarnó de María, la Virgen, y se hizo hombre;

y por nuestra causa fue crucificado

en tiempos de Poncio Pilato;

padeció y fue sepultado,

y resucitó al tercer día, según las Escrituras,

y subió al cielo, y está sentado a la derecha del Padre;

y de nuevo vendrá con gloria

para juzgar a vivos y muertos,

y su reino no tendrá fin.

Creo en el Espíritu Santo, Señor y dador de vida,

que procede del Padre y del Hijo,

que con el Padre y el Hijo

recibe una misma adoración y gloria,

y que habló por los profetas.

Creo en la Iglesia,

que es una, santa, católica y apostólica.

Confieso que hay un solo bautismo para el perdón de los pecados.

Espero la resurrección de los muertos

y la vida del mundo futuro.

Amén.

Gloria (Doxología)

Esta breve plegaria está dirigida a la Santísima Trinidad. Se dice al inicio de la Liturgia de las Horas, y para concluir el rezo de los salmos, o la decena de avemarías del rosario. Puede rezarse en cualquier momento.

Gloria al Padre,

y al Hijo,

y al Espíritu Santo.

Como era en el principio,

Ahora y siempre, por los siglos de los siglos. Amén.

Avemaría

La primera línea de esta plegaria es el saludo del ángel Gabriel a la Virgen María, al momento de anunciarle que sería madre del Redentor (ver Lucas 1:28). Las dos líneas siguientes son del saludo de Isabel al momento de visitarla (ver Lucas 1:42). Las cuatro líneas finales confiesan la maternidad divina de María y su papel de intercesora nuestra. Las decenas repetidas de esta plegaria forman el rosario.

Dios te salve María, llena eres de gracia, el Señor es contigo;

bendita tú eres entre todas las mujeres,

y bendito es el fruto de tu vientre, Jesús.

Santa María, Madre de Dios,

ruega por nosotros, pecadores,

ahora y en la ahora

de nuestra muerte. Amén.

Bendición de los alimentos

De muchas maneras, las familias agradecen a Dios por el alimento; algunas con sus propias palabras, otras se toman de las manos y cantan o recitan alguna fórmula tradicional. Esta se puede decir antes de iniciar a comer, y después de la Señal de la cruz.

Bendice, Señor, estos dones,

las manos que los prepararon

y el trabajo de nuestros hermanos.

Da pan a los que tienen hambre,

y hambre de ti a los que tenemos pan.